11/6 TC

SV

Band 47 der Bibliothek Suhrkamp

Theodor W. Adorno

Noten
zur Literatur I

Suhrkamp Verlag

14.-17. Tausend 1965
© 1958 by Suhrkamp Verlag Frankfurt am Main. Alle Rechte vor-
behalten. Printed in Germany. Satz in Linotype Baskerville von
L. C. Wittich, Darmstadt; Offsetnachdruck von Nomos-Verlagsges.
m. b. H. & Co., Baden-Baden. Bindearbeiten Ludwig Fleischmann, Fulda

Jutta Burger gewidmet

Inhalt

Der Essay als Form

Bestimmt, Erleuchtetes zu sehen, nicht das Licht.
Goethe, Pandora

Daß der Essay in Deutschland als Mischprodukt
verrufen ist; daß es an überzeugender Tradition
der Form gebricht; daß man ihrem nachdrückli-
chen Anspruch nur intermittierend genügte, wurde
oft genug festgestellt und gerügt. »Die Form des
Essays hat bis jetzt noch immer nicht den Weg
des Selbständigwerdens zurückgelegt, den ihre
Schwester, die Dichtung, schon längst durchlau-
fen hat: den der Entwicklung aus einer primitiven, undifferenzierten Einheit mit Wissenschaft,
Moral und Kunst.«[1] Aber weder das Unbehagen
an diesem Zustand noch das an der Gesinnung,
die darauf reagiert, indem sie Kunst als Reservat
von Irrationalität einhegt, Erkenntnis der organisierten Wissenschaft gleichsetzt und was jener
Antithese nicht sich fügt als unrein ausscheiden
möchte, hat am landesüblichen Vorurteil etwas
geändert. Noch heute reicht das Lob des écrivain
hin, den, dem man es spendet, akademisch draußen zu halten. Trotz aller belasteten Einsicht, die

[1] Georg von Lukács, *Die Seele und die Formen*, Berlin
1911, S. 29

Simmel und der junge Lukács, Kassner und Benjamin dem Essay, der Spekulation über spezifische, kulturell bereits vorgeformte Gegenstände[1]) anvertraut haben, duldet die Zunft als Philosophie nur, was sich mit der Würde des Allgemeinen, Bleibenden, heutzutage womöglich Ursprünglichen bekleidet und mit dem besonderen geistigen Gebilde nur insoweit sich einläßt, wie daran die allgemeinen Kategorien zu exemplifizieren sind; wie wenigstens das Besondere auf jene durchsichtig wird. Die Hartnäckigkeit, mit der dies Schema überlebt, wäre so rätselhaft wie seine affektive Besetztheit, speisten es nicht Motive, die stärker sind als die peinliche Erinnerung daran, was einer Kultur an Kultiviertheit mangelt, die historisch den homme de lettres kaum kennt. In Deutschland reizt der Essay zur Abwehr, weil er an die Freiheit des Geistes mahnt, die, seit dem Mißlingen einer seit Leibnizischen Tagen nur lauen Aufklärung, bis heute, auch unter den Bedingungen formaler Freiheit, nicht recht sich entfaltete, sondern stets bereit war, die

[1]) cf. Lukács, l. c. S. 23: »Der Essay spricht immer von etwas bereits Geformtem, oder bestenfalls von etwas schon einmal Dagewesenem, es gehört also zu seinem Wesen, daß er nicht neue Dinge aus einem leeren Nichts heraushebt, sondern bloß solche, die schon irgendwann lebendig waren, aufs neue ordnet. Und weil er sie nur aufs neue ordnet, nicht aus dem Formlosen etwas Neues formt, ist er auch an sie gebunden, muß er immer ›die Wahrheit‹ über sie aussprechen. Ausdruck für ihr Wesen finden.«

Unterordnung unter irgendwelche Instanzen als ihr eigentliches Anliegen zu verkünden. Der Essay aber läßt sich sein Ressort nicht vorschreiben. Anstatt wissenschaftlich etwas zu leisten oder künstlerisch etwas zu schaffen, spiegelt noch seine Anstrengung die Muße des Kindlichen wider, der ohne Skrupel sich entflammt an dem, was andere schon getan haben. Er reflektiert das Geliebte und Gehaßte, anstatt den Geist nach dem Modell unbegrenzter Arbeitsmoral als Schöpfung aus dem Nichts vorzustellen. Glück und Spiel sind ihm wesentlich. Er fängt nicht mit Adam und Eva an sondern mit dem, worüber er reden will; er sagt, was ihm daran aufgeht, bricht ab, wo er selber am Ende sich fühlt und nicht dort, wo kein Rest mehr bliebe: so rangiert er unter den Allotria. Weder sind seine Begriffe von einem Ersten her konstruiert noch runden sie sich zu einem Letzten. Seine Interpretationen sind nicht philologisch erhärtet und besonnen, sondern prinzipiell Überinterpretationen, nach dem automatisierten Verdikt jenes wachsamen Verstandes, der sich als Büttel an die Dummheit gegen den Geist verdingt. Die Anstrengung des Subjekts, zu durchdringen, was als Objektivität hinter der Fassade sich versteckt, wird als müßig gebrandmarkt: aus Angst vor Negativität überhaupt. Alles sei viel einfacher. Dem, der deutet, anstatt hinzunehmen und einzuordnen, wird der gelbe Fleck dessen angeheftet, der kraftlos, mit fehlgeleiteter Intelligenz

11

spintisiere und hineinlege, wo es nichts auszulegen gibt. Tatsachenmensch oder Luftmensch, das ist die Alternative. Hat man aber einmal sich terrorisieren lassen vom Verbot, mehr zu meinen als an Ort und Stelle gemeint war, so willfahrt man bereits der falschen Intention, wie sie Menschen und Dinge von sich selber hegen. Verstehen ist dann nichts als das Herausschälen dessen, was der Autor jeweils habe sagen wollen, oder allenfalls der einzelmenschlichen psychologischen Regungen, die das Phänomen indiziert. Aber wie kaum sich ausmachen läßt, was einer sich da und dort gedacht, was er gefühlt hat, so wäre durch derlei Einsichten nichts Wesentliches zu gewinnen. Die Regungen der Autoren erlöschen in dem objektiven Gehalt, den sie ergreifen. Die objektive Fülle von Bedeutungen jedoch, die in jedem geistigen Phänomen verkapselt sind, verlangt vom Empfangenden, um sich zu enthüllen, eben jene Spontaneität subjektiver Phantasie, die im Namen objektiver Disziplin geahndet wird. Nichts läßt sich herausinterpretieren, was nicht zugleich hineininterpretiert wäre. Kriterien dafür sind die Vereinbarkeit der Interpretation mit dem Text und mit sich selber, und ihre Kraft, die Elemente des Gegenstandes mitsammen zum Sprechen zu bringen. Durch diese ähnelt der Essay einer ästhetischen Selbständigkeit, die leicht als der Kunst bloß entlehnt angeklagt wird, von der er gleichwohl durch sein Medium, die Begriffe,

12

sich unterscheidet und durch seinen Anspruch auf Wahrheit bar des ästhetischen Scheins. Das hat Lukács verkannt, als er in dem Brief an Leo Popper, der die *Seele und die Formen* einleitet, den Essay eine Kunstform nannte[1]). Nicht überlegen aber ist dem die positivistische Maxime, was über Kunst geschrieben würde, dürfe selbst in nichts künstlerische Darstellung, also Autonomie der Form beanspruchen. Die positivistische Gesamttendenz, die jeden möglichen Gegenstand als einen von Forschung starr dem Subjekt entgegensetzt, bleibt wie in allen anderen Momenten so auch in diesem bei der bloßen Trennung von Form und Inhalt stehen: wie denn überhaupt von Ästhetischem unästhetisch, bar aller Ähnlichkeit mit der Sache kaum sich reden ließe, ohne daß man der Banausie verfiele und a priori von jener Sache abglitte. Der Inhalt, einmal nach dem Urbild des Protokollsatzes fixiert, soll nach positivistischem Brauch gegen seine Darstellung indifferent, diese konventionell, nicht von der Sache gefordert sein, und jede Regung des Ausdrucks in der Darstellung gefährdet für den Instinkt des wissenschaftlichen Purismus eine Objektivität, die nach Abzug des Subjekts herausspränge, und damit die Gediegenheit der Sache, die um so besser sich bewähre, je weniger sie sich auf die Unterstützung durch die Form verläßt, obwohl doch diese ihre Norm selber genau daran hat, die

[1]) Lukács, l. c., S. 5 und passim

13

Sache rein und ohne Zutat zu geben. In der Allergie gegen die Formen als bloße Akzidenzien nähert sich der szientifische Geist dem stur dogmatischen. Das unverantwortlich geschluderte Wort wähnt, die Verantwortlichkeit in der Sache zu belegen, und die Reflexion über Geistiges wird zum Privileg des Geistlosen.

All diese Ausgeburten der Rancune sind nicht nur die Unwahrheit. Verschmäht es der Essay, kulturelle Gebilde zuvor abzuleiten aus einem ihnen Zugrundeliegenden, so embrouilliert er sich allzu beflissen mit dem Kulturbetrieb von Prominenz, Erfolg und Prestige marktmäßiger Erzeugnisse. Die Romanbiographien und was an verwandter Prämissen-Schriftstellerei an diese sich anhängt, sind keine bloße Ausartung sondern die permanente Versuchung einer Form, deren Verdacht gegen die falsche Tiefe durch nichts gefeit ist vor dem Umschlag in versierte Oberflächlichkeit. Schon in Sainte-Beuve, von dem die Gattung des jüngeren Essays wohl sich herleitet, zeichnet das sich ab und hat mit Produkten wie den Schattenrissen von Herbert Eulenberg, dem deutschen Urbild einer Flut kultureller Schundliteratur, bis zu den Filmen über Rembrandt, Toulouse-Lautrec und die Heilige Schrift die Neutralisierung geistiger Gebilde zu Gütern weiterbefördert, die ohnehin das, was im Ostbereich schmählich das Erbe heißt, in der jüngeren Geistesgeschichte unwiderstehlich ergreift. Am sinnfälligsten vielleicht ist der Prozeß bei Stefan Zweig, dem in seiner Jugend einige differenzierte Essays gelangen und der schließlich in seinem Balzacbuch herunterkam auf die Psychologie des schöpferischen Menschen. Solches Schrifttum kritisiert nicht die abstrakten Grundbegriffe, begriffslosen Daten, eingeschliffenen Klischees, sondern setzt allesamt implizit, aber desto einverstandener voraus. Der Abhub verstehender Psychologie wird fusioniert mit gängigen Kategorien aus der Weltanschauung des Bildungsphilisters, wie der Persönlichkeit und dem Irrationalen. Dergleichen Essays verwechseln sich selber mit jenem Feuilleton, mit dem die Feinde der Form diese verwechseln. Losgerissen von der Disziplin akademischer Unfreiheit, wird geistige Freiheit selber unfrei, willfahrt dem gesellschaftlich präformierten Bedürfnis der Kundenschaft. Das Unverantwortliche, an sich Moment jeglicher Wahrheit, die sich nicht in der Verantwortung gegenüber dem Bestehenden verbraucht, verantwortet sich dann vor den Bedürfnissen des etablierten Bewußtseins; die schlechten Essays sind nicht weniger konformistisch als die schlechten Dissertationen. Verantwortung aber respektiert nicht nur Autoritäten und Gremien sondern auch die Sache.

Daran jedoch, daß der schlechte Essay von Personen erzählt, anstatt die Sache aufzuschließen, ist die Form nicht unschuldig. Die Trennung von Wissenschaft und Kunst ist irreversibel. Bloß die Naivetät des Literaturfabrikanten nimmt von ihr keine Notiz, der sich wenigstens für ein Organisationsgenie hält und gute Kunstwerke zu schlechten verschrottet. Mit der Vergegenständlichung der Welt im Verlauf fortschreitender Entmythologisierung haben Wissenschaft und Kunst sich geschieden; ein Bewußtsein, dem Anschauung und Begriff, Bild und Zeichen eins wären, ist, wenn anders es je existierte, mit keinem Zauberschlag wiederherstellbar, und seine Restitution fiele zurück ins Chaotische. Nur als Vollendung des vermittelnden Prozesses wäre solches Bewußtsein zu denken, als Utopie, wie sie die idealistischen Philosophen seit Kant mit dem Namen der intellektuellen Anschauung bedachten, die versagte, wann immer aktuelle Erkenntnis auf sie sich berief. Wo Philosophie durch Anleihe bei der Dichtung das vergegenständlichende Denken und seine Geschichte, nach gewohnter Terminologie die Antithese von Subjekt und Objekt, meint abschaffen zu können und gar hofft, es spreche in einer aus Parmenides und Jungnickel montierten Poesie Sein selber, nähert sie eben damit sich dem ausgelaugten Kulturgeschwätz. Sie weigert sich mit als Urtümlichkeit zurechtgestutzter Bauernschläue, die Verpflichtung des begrifflichen Denkens zu honorieren, die sie doch unterschrieben hat, sobald sie Begriffe in Satz und Urteil verwandte, während ihr ästhetisches Element eines aus zweiter Hand, verdünnte Bildungsreminiszenz an Hölderlin oder den Expressionismus bleibt oder womöglich an den Jugendstil, weil kein Denken so schrankenlos und blind der Sprache sich anvertrauen kann, wie die Idee urtümlichen Sagens es vorgaukelt. Der Gewalttat, die dabei Bild und Begriff wechselseitig aneinander verüben, entspringt der Jargon der Eigentlichkeit, in dem Worte vor Ergriffenheit tremolieren, während sie verschweigen, worüber sie ergriffen sind. Die ambitiöse Transzendenz der Sprache über den Sinn hinaus mündet in eine Sinnleere, welche vom Positivismus spielend dingfest gemacht werden kann, dem man sich überlegen meint und dem man doch eben durch jene Sinnleere in die Hände arbeitet, die er kritisiert und die man mit seinen Spielmarken teilt. Unterm Bann solcher Entwicklungen nähert Sprache, wo sie in Wissenschaften überhaupt noch sich zu regen wagt, dem Kunstgewerbe sich an, und der Forscher bewährt, negativ, am ehesten ästhetische Treue, der gegen Sprache überhaupt sich sträubt und, anstatt das Wort zur bloßen Umschreibung seiner Zahlen zu erniedrigen, die Tabelle vorzieht, welche die Verdinglichung des Bewußtseins ohne Rückhalt einbekennt und damit für sie etwas wie Form findet ohne apologetische Anleihe bei der Kunst. Wohl war diese in die vorherrschende Tendenz der Aufklärung von je so verflochten, daß sie seit der Antike in ihrer Technik wissenschaftliche Funde verwertete. Aber die Quantität schlägt um in die Qualität. Wird Technik im Kunstwerk verabsolutiert; wird Konstruktion total und tilgt sie ihr Motivierendes und Entgegengesetztes, den Ausdruck; prätendiert also Kunst, unmittelbar Wissenschaft, richtig nach deren Maß zu sein, so sanktioniert sie die vorkünstlerische Stoffhuberei, sinnfremd wie nur das Seyn aus philosophischen Seminaren, und verbrüdert sich mit der Verdinglichung, gegen die wie immer auch stumm und selber dinghaft Einspruch zu erheben bis zum heutigen Tag die Funktion des Funktionslosen, der Kunst, war.

Aber wie Kunst und Wissenschaft in Geschichte sich schieden, so ist ihr Gegensatz auch nicht zu hypostasieren. Der Abscheu vor der anachronistischen Vermischung heiligt nicht eine nach Sparten organisierte Kultur. In all ihrer Notwendigkeit beglaubigen jene Sparten institutionell doch auch den Verzicht auf die ganze Wahrheit. Die Ideale des Reinlichen und Säuberlichen, die dem Betrieb einer veritabeln, auf Ewigkeitswerte geeichten Philosophie, einer hieb- und stichfesten, lückenlos durchorganisierten Wissenschaft und einer begriffslos anschaulichen Kunst gemein sind, tragen die Spur repressiver Ordnung. Dem Geist wird eine Zuständigkeitsbescheinigung abverlangt, damit er nicht mit den kulturell bestätigten Grenzlinien die offizielle Kultur selber überschreite. Vorausgesetzt wird dabei, daß alle Erkenntnis potentiell in Wissenschaft sich umsetzen lasse. Die Erkenntnistheorien, welche das vorwissenschaftliche vom wissenschaftlichen Bewußtsein unterschieden, haben denn auch durchweg den Unterschied lediglich graduell aufgefaßt. Daß es aber bei der bloßen Versicherung jener Umsetzbarkeit blieb, ohne daß je im Ernst lebendiges Bewußtsein in wissenschaftliches verwandelt worden wäre, verweist auf das Prekäre des Übergangs selber, eine qualitative Differenz. Die einfachste Besinnung aufs Bewußtseinsleben könnte darüber belehren, wie wenig Erkenntnisse, die keineswegs unverbindliche Ahnungen sind, allesamt vom szientifischen Netz sich einfangen lassen. Das Werk Marcel Prousts, dem es so wenig wie Bergson am wissenschaftlich-positivistischen Element mangelt, ist ein einziger Versuch, notwendige und zwingende Erkenntnisse über Menschen und soziale Zusammenhänge auszusprechen, die nicht ohne weiteres von der Wissenschaft eingeholt werden können, während doch ihr Anspruch auf Objektivität weder gemindert noch der vagen Plausibilität ausgeliefert würde. Das Maß solcher Objektivität ist nicht die Verifizierung behaupteter Thesen durch ihre wiederholende Prüfung, sondern die in Hoffnung und Desillusion zusammengehaltene einzelmenschliche Erfahrung. Sie verleiht ihren Beobachtungen erinnernd durch Bestätigung oder

Widerlegung Relief. Aber ihre individuell zusammengeschlossene Einheit, in der doch das Ganze erscheint, wäre nicht aufzuteilen und wieder zu ordnen unter die getrennten Personen und Apparaturen etwa von Psychologie und Soziologie. Proust hat, unter dem Druck des szientifischen Geistes und seiner auch dem Künstler latent allgegenwärtigen Desiderate, getrachtet, in einer selbst den Wissenschaften nachgebildeten Technik, einer Art von Versuchsanordnung, sei's zu retten, sei's wiederherzustellen, was in den Tagen des bürgerlichen Individualismus, da das individuelle Bewußtsein noch sich selbst vertraute und nicht vorweg unter organisatorischer Zensur sich ängstigte, als Erkenntnisse eines erfahrenen Mannes vom Typ jenes ausgestorbenen homme de lettres galt, den Proust als höchster Fall des Dilettanten nochmals beschwört. Keinem jedoch wäre es beigekommen, die Mitteilungen eines Erfahrenen, weil sie nur die seinen sind und nicht ohne weiteres wissenschaftlich sich generalisieren lassen, als unbeträchtlich, zufällig und irrational abzutun. Was aber von seinen Funden durch die wissenschaftlichen Maschen schlüpft, entgeht ganz gewiß der Wissenschaft selber. Als Geisteswissenschaft versagt sie, was sie dem Geist verspricht: dessen Gebilde von innen aufzuschließen. Der junge Schriftsteller, der auf Hochschulen lernen will, was ein Kunstwerk, was Sprachgestalt, was ästhetische Qualität, ja auch ästhetische Technik sei, wird meist bloß desultorisch etwas davon vernehmen, allenfalls Auskünfte erhalten, die von der jeweils zirkulierenden Philosophie fertig bezogen und dem Gehalt der in Rede stehenden Gebilde mehr oder minder willkürlich aufgeklatscht sind. Wendet er sich aber an die philosophische Ästhetik, so werden ihm Sätze eines Abstraktionsniveaus aufgedrängt, die weder mit den Gebilden, die er verstehen will, vermittelt sind, noch in Wahrheit eins mit dem Gehalt, nach dem er tastet. Für all das aber ist nicht die Arbeitsteilung des *kosmos noetikos* nach Kunst und Wissenschaft allein verantwortlich; nicht sind deren Demarkationslinien durch guten Willen und übergreifende Planung zu beseitigen. Sondern der unwiderruflich nach dem Muster von Naturbeherrschung und materieller Produktion gemodelte Geist begibt sich der Erinnerung an jenes überwundene Stadium, die ein zukünftiges verspricht, der Transzendenz gegenüber den verhärteten Produktionsverhältnissen, und das lähmt sein spezialistisches Verfahren gerade seinen spezifischen Gegenständen gegenüber.

Im Verhältnis zur wissenschaftlichen Prozedur und ihrer philosophischen Grundlegung als Methode zieht der Essay, der Idee nach, die volle Konsequenz aus der Kritik am System. Selbst die empiristischen Lehren, welche der unabschließbaren, nicht antizipierbaren Erfahrung den

21

Vorrang vor der festen begrifflichen Ordnung zumessen, bleiben insofern systematisch, als sie mehr oder minder konstant vorgestellte Bedingungen von Erkenntnis erörtern und diese in möglichst bruchlosem Zusammenhang entwickeln. Empirismus nicht weniger als Rationalismus war seit Bacon — selbst einem Essayisten — »Methode«. Der Zweifel an deren unbedingtem Recht ward in der Verfahrensweise des Denkens selber fast nur vom Essay realisiert. Er trägt dem Bewußtsein der Nichtidentität Rechnung, ohne es auch nur auszusprechen; radikal im Nichtradikalismus, in der Enthaltung von aller Reduktion auf ein Prinzip, im Akzentuieren des Partiellen gegenüber der Totale, im Stückhaften. »Vielleicht hat der große Sieur de Montaigne etwas Ähnliches empfunden, als er seinen Schriften die wunderbar schöne und treffende Bezeichnung ›Essais‹ gab. Denn eine hochmütige Courtoisie ist die einfache Bescheidenheit dieses Wortes. Der Essayist winkt den eigenen, stolzen Hoffnungen, die manchmal dem Letzten nahe gekommen zu sein wähnen, ab — es sind ja nur Erklärungen der Gedichte anderer, die er bieten kann und bestenfalls die der eigenen Begriffe. Aber ironisch fügt er sich in diese Kleinheit ein, in die ewige Kleinheit der tiefsten Gedankenarbeit dem Leben gegenüber und mit ironischer Bescheidenheit unterstreicht er sie noch.«[1]) Der

[1]) Lukács, 1 c., S. 21

Essay pariert nicht der Spielregel organisierter Wissenschaft und Theorie, es sei, nach dem Satz des Spinoza, die Ordnung der Dinge die gleiche wie die der Ideen. Weil die lückenlose Ordnung der Begriffe nicht eins ist mit dem Seienden, zielt er nicht auf geschlossenen, deduktiven oder induktiven Aufbau. Er revoltiert zumal gegen die seit Platon eingewurzelte Doktrin, das Wechselnde, Ephemere sei der Philosophie unwürdig; gegen jenes alte Unrecht am Vergänglichen, wodurch es im Begriff nochmals verdammt wird. Er schreckt zurück vor dem Gewaltsamen des Dogmas: dem Resultat der Abstraktion, dem gegenüber dem darunter befaßten Individuellen zeitlich invarianten Begriff, gebühre ontologische Dignität. Der Trug, der ordo idearum wäre der ordo rerum, gründet in der Unterstellung eines Vermittelten als unmittelbar. So wenig ein bloß Faktisches ohne den Begriff gedacht werden kann, weil es denken immer schon es begreifen heißt, so wenig ist noch der reinste Begriff zu denken ohne allen Bezug auf Faktizität. Selbst die vermeintlich von Raum und Zeit befreiten Gebilde der Phantasie verweisen, wie immer auch abgeleitet, auf individuelles Dasein. Darum läßt sich der Essay von dem depravierten Tiefsinn nicht einschüchtern, Wahrheit und Geschichte stünden unvereinbar einander gegenüber. Hat Wahrheit in der Tat einen Zeitkern, so wird der volle geschichtliche Gehalt zu ihrem integralen Moment;

das Aposteriori wird konkret zum Apriori, wie
Fichte und seine Nachfolger nur generell es for-
derten. Die Beziehung auf Erfahrung — und ihr
verleiht der Essay soviel Substanz wie die herkömmliche Theorie den bloßen Kategorien—ist
die auf die ganze Geschichte; die bloß individuelle Erfahrung, mit welcher das Bewußtsein
als mit dem ihr nächsten anhebt, ist selber vermittelt durch die übergreifende der historischen
Menschheit; daß stattdessen diese mittelbar und
das je Eigene das Unmittelbare sei, bloße Selbst-
täuschung der individualistischen Gesellschaft
und Ideologie. Die Geringschätzung des geschichtlich Produzierten als eines Gegenstandes
der Theorie wird daher vom Essay revidiert. Die
Unterscheidung einer ersten von einer bloßen
Kulturphilosophie, welche jene voraussetze und
auf ihr weiterbaue, mit der das Tabu über den
Essay theoretisch sich rationalisiert, ist nicht zu
retten. Eine Verfahrensweise des Geistes verliert
ihre Autorität, welche die Scheidung von Zeit-
lichem und Zeitlosem als Kanon ehrt. Höhere
Abstraktionsniveaus investieren den Gedanken
weder mit höherer Weihe noch mit metaphy-
sischem Gehalt; eher verflüchtigt sich dieser mit
dem Fortgang der Abstraktion, und etwas davon möchte der Essay wiedergutmachen. Der
geläufige Einwand gegen ihn, er sei stückhaft
und zufällig, postuliert selber die Gegebenheit
von Totalität, damit aber Identität von Subjekt

und Objekt, und gebärdet sich, als wäre man des Ganzen mächtig. Der Essay aber will nicht das Ewige im Vergänglichen aufsuchen und abdestillieren, sondern eher das Vergängliche verewigen. Seine Schwäche zeugt von der Nichtidentität selber, die er auszudrücken hat; vom Überschuß der Intention über die Sache und damit jener Utopie, welche in der Gliederung der Welt nach Ewigem und Vergänglichem abgewehrt ist. Im emphatischen Essay entledigt sich der Gedanke der traditionellen Idee von der Wahrheit.

Damit suspendiert er zugleich den traditionellen Begriff von Methode. Der Gedanke hat seine Tiefe danach, wie tief er in die Sache dringt, nicht danach, wie tief er sie auf ein anderes zurückführt. Das wendet der Essay polemisch, indem er behandelt, was nach den Spielregeln für abgeleitet gilt, ohne dessen endgültige Ableitung selber zu verfolgen. In Freiheit denkt er zusammen, was sich zusammenfindet in dem frei gewählten Gegenstand. Nicht kapriziert er sich auf ein Jenseits der Vermittlungen — und das sind die geschichtlichen, in denen die ganze Gesellschaft sedimentiert ist — sondern sucht die Wahrheitsgehalte als selber geschichtliche. Er fragt nach keiner Urgegebenheit, zum Tort der vergesellschafteten Gesellschaft, die, eben weil sie nichts duldet, was von ihr nicht geprägt ward, am letzten dulden kann, was an ihre eigene Allgegenwart erinnert, und notwendig als ideolo-

25

gisches Komplement jene Natur herbeizitiert, von der ihre Praxis nichts übrig läßt. Der Essay kündigt wortlos die Illusion, der Gedanke vermöchte aus dem, was thesei, Kultur ist, ausbrechen in das, was physei, von Natur sei. Gebannt vom Fixierten, eingestandenermaßen Abgeleiteten, von Gebilden, ehrt er die Natur, indem er bestätigt, daß sie den Menschen nicht mehr ist. Sein Alexandrinismus antwortet darauf, daß noch Flieder und Nachtigall, wo das universale Netz ihnen zu überleben etwa gestattet, durch ihre bloße Existenz glauben machen, das Leben lebte noch. Er verläßt die Heerstraße zu den Ursprüngen, die bloß zu dem Abgeleitetesten, dem Sein führt, der verdoppelnden Ideologie dessen, was ohnehin ist, ohne daß doch die Idee von Unmittelbarkeit ganz verschwände, die der Sinn von Vermittlung selbst postuliert. Alle Stufen des Vermittelten sind dem Essay unmittelbar, ehe er zu reflektieren sich anschickt.

Wie er Urgegebenheiten verweigert, so verweigert er die Definition seiner Begriffe. Deren volle Kritik ist von der Philosophie unter den divergentesten Aspekten erreicht worden; bei Kant, bei Hegel, bei Nietzsche. Aber die Wissenschaft hat solche Kritik niemals sich zugeeignet. Während die mit Kant anhebende Bewegung, als eine gegen die scholastischen Residuen im modernen Denken, anstelle der Verbaldefinitionen das Begreifen der Begriffe aus dem Prozeß rückt, in dem sie gezeitigt werden, verharren die Einzelwissenschaften, um der ungestörten Sicherheit ihres Operierens willen, bei der vorkritischen Verpflichtung zu definieren; darin stimmen die Neopositivisten, denen die wissenschaftliche Methode Philosophie heißt, mit der Scholastik überein. Der Essay dafür nimmt den antisystematischen Impuls ins eigene Verfahren auf und führt Begriffe umstandslos, »unmittelbar« so ein, wie er sie empfängt. Präzisiert werden sie erst durch ihr Verhältnis zueinander. Dabei jedoch hat er eine Stütze an den Begriffen selber. Denn es ist bloßer Aberglaube der aufbereitenden Wissenschaft, die Begriffe wären an sich unbestimmt, würden bestimmt erst durch ihre Definition. Der Vorstellung des Begriffs als einer tabula rasa bedarf die Wissenschaft, um ihren Herrschaftsanspruch zu festigen; als den der Macht, welche einzig den Tisch besetzt. In Wahrheit sind alle Begriffe implizit schon konkretisiert durch die Sprache, in der sie stehen. Mit solchen Bedeutungen hebt der Essay an und treibt sie, selbst wesentlich Sprache, weiter; er möchte dieser in ihrem Verhältnis zu den Begriffen helfen, sie reflektierend so nehmen, wie sie bewußtlos in der Sprache schon genannt sind. Das ahnt das Verfahren der Bedeutungsanalyse in der Phänomenologie, nur daß es die Beziehung der Begriffe auf die Sprache zum Fetisch macht. Dazu steht der Essay ebenso skeptisch wie zu ihrer Definition. Er zieht ohne Apologie den Einwand auf sich, man wisse nicht über allem Zweifel, was man unter den Begriffen sich vorzustellen habe. Denn er durchschaut, daß das Verlangen nach strikten Definitionen längst dazu herhält, durch festsetzende Manipulationen der Begriffsbedeutungen das Irritierende und Gefährliche der Sachen wegzuschaffen, die in den Begriffen leben. Dabei jedoch kommt er weder ohne allgemeine Begriffe aus — auch die Sprache, die den Begriff nicht fetischisiert, kann seiner nicht entraten — noch geht er mit ihnen nach Belieben um. Die Darstellung nimmt er darum schwerer als die Methode und Sache sondernden, der Darstellung ihres vergegenständlichten Inhalts gegenüber gleichgültigen Verfahrensweisen. Das Wie des Ausdrucks soll an Präzision erretten, was der Verzicht aufs Umreißen opfert, ohne doch die gemeinte Sache an die Willkür einmal dekretierter Begriffsbedeutungen zu verraten. Darin war Benjamin der unerreichte Meister. Solche Präzision kann jedoch nicht atomistisch bleiben. Weniger nicht, sondern mehr als das definitorische Verfahren urgiert der Essay die Wechselwirkung seiner Begriffe im Prozeß geistiger Erfahrung. In ihr bilden jene kein Kontinuum der Operationen, der Gedanke schreitet nicht einsinnig fort, sondern die Momente verflechten sich teppichhaft. Von der Dichte dieser Verflechtung hängt die Fruchtbarkeit von Gedanken ab.

Eigentlich denkt der Denkende gar nicht, sondern macht sich zum Schauplatz geistiger Erfahrung, ohne sie aufzudröseln. Während aus ihr auch dem traditionellen Denken seine Impulse zuwachsen, eliminiert es seiner Form nach die Erinnerung daran. Der Essay aber wählt sie als Vorbild, ohne sie, als reflektierte Form, einfach nachzuahmen; er vermittelt sie durch seine eigene begriffliche Organisation; er verfährt, wenn man will, methodisch unmethodisch.

Wie der Essay die Begriffe sich zueignet, wäre am ehesten vergleichbar dem Verhalten von einem, der in fremdem Land gezwungen ist, dessen Sprache zu sprechen, anstatt schulgerecht aus Elementen sie zusammenzustümpern. Er wird ohne Diktionär lesen. Hat er das gleiche Wort, in stets wechselndem Zusammenhang, dreißigmal erblickt, so hat er seines Sinnes besser sich versichert, als wenn er die aufgezählten Bedeutungen nachgeschlagen hätte, die meist zu eng sind gegenüber dem Wechsel je nach dem Kontext, und zu vag gegenüber den unverwechselbaren Nuancen, die der Kontext in jedem einzelnen Fall stiftet. Wie freilich solches Lernen dem Irrtum exponiert bleibt, so auch der Essay als Form; für seine Affinität zur offenen geistigen Erfahrung hat er mit dem Mangel an jener Sicherheit zu zahlen, welchen die Norm des etablierten Denkens wie den Tod fürchtet. Nicht sowohl vernachlässigt der Essay die zweifelsfreie

Gewißheit, als daß er ihr Ideal kündigt. Wahr wird er in seinem Fortgang, der ihn über sich hinaustreibt, nicht in schatzgräberischer Obsession mit Fundamenten. Seine Begriffe empfangen ihr Licht von einem ihm selbst verborgenen terminus ad quem, nicht von einem offenbaren terminus a quo, und darin drückt seine Methode selber die utopische Intention aus. Alle seine Begriffe sind so darzustellen, daß sie einander tragen, daß ein jeglicher sich artikuliert je nach den Konfigurationen mit anderen. In ihm treten diskret gegeneinander abgesetzte Elemente zu einem Lesbaren zusammen; er erstellt kein Gerüst und keinen Bau. Als Konfiguration aber kristallisieren sich die Elemente durch ihre Bewegung. Jene ist ein Kraftfeld, so wie unterm Blick des Essays jedes geistige Gebilde in ein Kraftfeld sich verwandeln muß.

Der Essay fordert das Ideal der clara et distincta perceptio und der zweifelsfreien Gewißheit sanft heraus. Insgesamt wäre er zu interpretieren als Einspruch gegen die vier Regeln, die Descartes' Discours de la méthode am Anfang der neueren abendländischen Wissenschaft und ihrer Theorie aufrichtet. Die zweite jener Regeln, die Zerlegung des Objekts in »so viele Teile . . . als nur möglich und als erforderlich sein würde, um sie in der besten Weise aufzulösen«,[1]) entwirft

[1]) Descartes, *Philosophische Werke*, ed. Buchenau, Leipzig 1922, I, S. 15

jene Elementaranalyse, in deren Zeichen die traditionelle Theorie die begrifflichen Ordnungsschemata und die Struktur des Seins einander gleichsetzt. Der Gegenstand des Essays aber, die Artefakte, versagen sich der Elementaranalyse und sind einzig aus ihrer spezifischen Idee zu konstruieren; nicht umsonst hat darin Kant Kunstwerke und Organismen analog behandelt, obwohl er sie zugleich so unbestechlich wider allen romantischen Obskurantismus unterschied. Ebensowenig ist die Ganzheit als Erstes zu hypostasieren wie das Produkt der Analyse, die Elemente. Beidem gegenüber orientiert sich der Essay an der Idee jener Wechselwirkung, welche streng die Frage nach Elementen so wenig duldet wie die nach dem Elementaren. Weder sind die Momente rein aus dem Ganzen zu entwickeln noch umgekehrt. Es ist Monade, und doch keine; seine Momente, als solche begrifflicher Art, weisen über den spezifischen Gegenstand hinaus, in dem sie sich versammeln. Aber der Essay verfolgt sie nicht dorthin, wo sie sich jenseits des spezifischen Gegenstandes legitimierten: sonst geriete er in schlechte Unendlichkeit. Sondern er rückt dem hic et nunc des Gegenstandes so nah, bis er in die Momente sich dissoziiert, in denen er sein Leben hat, anstatt bloß Gegenstand zu sein.

Die dritte Cartesianische Regel, »der Ordnung nach meine Gedanken zu leiten, also bei den

einfachsten und am leichtesten zu erkennenden
Gegenständen zu beginnen, um nach und nach
sozusagen gradweise bis zur Erkenntnis der zu-
sammengesetztesten aufzusteigen«, widerspricht
schroff der Essayform insofern, als diese vom
Komplexesten ausgeht, nicht vom Einfachsten,
allemal vorweg Gewohnten. Sie läßt sich nicht be-
irren im Verhalten dessen, der Philosophie zu
studieren beginnt und dem dabei ihre Idee irgend
schon vor Augen steht. Er wird kaum zuerst die
simpelsten Schriftsteller lesen, deren common
sense meist dahinplätschert, wo zu verweilen
wäre, sondern eher nach den angeblich schwie-
rigen greifen, die dann ihr Licht rückwärts aufs
Einfache werfen und es erhellen als eine »Stellung des Gedankens zur Objektivität«. Die Naivetät des Studenten, dem das Schwierige und
Formidable gerade gut genug dünkt, ist weiser
als die erwachsene Pedanterie, die mit drohen-
dem Finger den Gedanken ermahnt, er solle das
Einfache kapieren, ehe er an jenes Komplexe sich
wage, das doch allein ihn reizt. Solche Vertagung
der Erkenntnis verhindert sie bloß. Dem convenu der Verständlichkeit, der Vorstellung von
der Wahrheit als einem Wirkungszusammen-
hang gegenüber, nötigt der Essay dazu, die
Sache mit dem ersten Schritt so vielschichtig zu
denken, wie sie ist, Korrektiv jener verstockten
Primitivität, die der gängigen ratio allemal sich
gesellt. Wenn die Wissenschaft das Schwierige

und Komplexe einer antagonistischen und monadologisch aufgespaltenen Realität nach ihrer Sitte fälschend auf vereinfachende Modelle bringt und diese dann nachträglich, durch vorgebliches Material, differenziert, so schüttelt der Essay die Illusion einer einfachen, im Grunde selber logischen Welt ab, die zur Verteidigung des bloß Seienden so gut sich schickt. Seine Differenziertheit ist kein Zusatz sondern sein Medium. Gern rechnet das etablierte Denken sie der bloßen Psychologie der Erkennenden zu und meint dadurch ihr Verpflichtendes abzufertigen. Die wissenschaftlichen Brusttöne gegen Übergescheitheit gelten in Wahrheit nicht der vorwitzig unzuverlässigen Methode, sondern dem Befremdenden an der Sache, das sie erscheinen läßt.

Unverändert kehrt die vierte Cartesianische Regel, man »solle überall so vollzählige Aufzählungen und so allgemeine Übersichten anstellen«, daß man »sicher wäre, nichts auszulassen«, das eigentlich systematische Prinzip, wieder noch in Kants Polemik gegen das »rhapsodistische« Denken des Aristoteles. Sie entspricht dem Vorwurf gegen den Essay, er sei, nach der Rede der Schulmeister, nicht erschöpfend, während jeder Gegenstand, und gewiß der geistige, unendlich viele Aspekte in sich schließt, über deren Auswahl nichts anderes entscheidet als die Intention des Erkennenden. Nur dann wäre die »allgemeine Übersicht« möglich, wenn vorweg fest stünde, daß der zu behandelnde Gegenstand in den Begriffen seiner Behandlung aufgeht; daß nichts übrig bleibt, was von diesen her nicht zu antizipieren wäre. Die Regel von der Vollständigkeit der einzelnen Glieder aber prätendiert, im Gefolge jener ersten Annahme, daß der Gegenstand in lückenlosem Deduktionszusammenhang sich darstellen lasse: eine identitätsphilosophische Supposition. Wie in der Forderung von Definition hat die Cartesianische Regel, als denkpraktische Anweisung, das rationalistische Theorem überlebt, auf dem sie beruhte; umfassende Übersicht und Kontinuität der Darstellung wird auch der empirisch offenen Wissenschaft zugemutet. Dadurch verwandelt sich, was bei Descartes als intellektuelles Gewissen über die Notwendigkeit der Erkenntnis wachen will, in Willkür, die eines »frame of reference«, einer Axiomatik, die zur Befriedigung des methodischen Bedürfnisses und um der Plausibilität des Ganzen an den Anfang gestellt werden soll, ohne daß sie selbst ihre Gültigkeit oder Evidenz mehr dartun könnte, oder, in der deutschen Version, eines »Entwurfs«, der mit dem Pathos, aufs Sein selber zu gehen, seine subjektiven Bedingungen bloß unterschlägt. Die Forderung der Kontinuität der Gedankenführung präjudiziert tendenziell schon die Stimmigkeit im Gegenstand, dessen eigene Harmonie. Kontinuierliche Darstellung widerspräche einer antagonistischen Sache, solange sie nicht die Kontinuität zugleich als Diskontinuität bestimmte. Unbewußt und theoriefern meldet im Essay als Form das Bedürfnis sich an, die theoretisch überholten Ansprüche der Vollständigkeit und Kontinuität auch in der konkreten Verfahrungsweise des Geistes zu annullieren. Sträubt er sich ästhetisch gegen die engherzige Methode, die nur ja nichts auslassen will, so gehorcht er einem erkenntniskritischen Motiv. Die romantische Konzeption des Fragments als eines nicht vollständigen sondern durch Selbstreflexion ins Unendliche weiterschreitenden Gebildes verficht dies antiidealistische Motiv inmitten des Idealismus. Auch in der Art des Vortrags darf der Essay nicht so tun, als hätte er den Gegenstand abgeleitet, und von diesem bliebe nichts mehr zu sagen. Seiner Form ist deren eigene Relativierung immanent: er muß so sich fügen, als ob er immer und stets abbrechen könnte. Er denkt in Brüchen, so wie die Realität brüchig ist, und findet seine Einheit durch die Brüche hindurch, nicht indem er sie glättet. Einstimmigkeit der logischen Ordnung täuscht über das antagonistische Wesen dessen, dem sie aufgestülpt ward. Diskontinuität ist dem Essay wesentlich, seine Sache stets ein stillgestellter Konflikt. Während er die Begriffe aufeinander abstimmt vermöge ihrer Funktion im Kräfteparallelogramm der Sachen, scheut er zurück vor dem Obergriff, dem sie gemeinsam unterzuordnen wären; was dieser zu leisten bloß vortäuscht, weiß seine Methode als unlösbar und sucht es gleichwohl zu leisten. Das Wort Versuch, in dem die Utopie des Gedankens, ins Schwarze zu treffen, mit dem Bewußtsein der eigenen Fehlbarkeit und Vorläufigkeit sich vermählt, erteilt, wie meist geschichtlich überdauernde Terminologien, einen Bescheid über die Form, der um so schwerer wiegt, als er nicht programmatisch sondern als Charakteristik der tastenden Intention erfolgt. Der Essay muß an einem ausgewählten oder getroffenen partiellen Zug die Totalität aufleuchten lassen, ohne daß diese als gegenwärtig behauptet würde. Er korrigiert das Zufällige und Vereinzelte seiner Einsichten, indem sie, sei es in seinem eigenen Fortgang, sei es im mosaikhaften Verhältnis zu anderen Essays, sich vervielfachen, bestätigen, einschränken; nicht durch Abstraktion auf die aus ihnen abgezogenen Merkmaleinheiten. »So unterscheidet sich also ein Essay von einer Abhandlung. Essayistisch schreibt, wer experimentierend verfaßt, wer also seinen Gegenstand hin und her wälzt, befragt, betastet, prüft, durchreflektiert, wer von verschiedenen Seiten auf ihn losgeht und in seinem Geistesblick sammelt, was er sieht, und verwortet, was der Gegenstand unter den im Schreiben geschaffenen Bedingungen sehen läßt.«[1] Das Unbehagen an dieser Prozedur; das Gefühl, es könne nach Belieben so

[1] Max Bense, *Über den Essay und seine Prosa*, in: Merkur, 1. Jahrgang 1947, Drittes Heft, S. 418

weiter gehen, hat seine Wahrheit und seine Un-
wahrheit. Seine Wahrheit, weil der Essay in der
Tat nicht schließt und das Unvermögen dazu als
Parodie seines eigenen Apriori hervorkehrt; als
Schuld wird ihm dann das aufgebürdet, was
eigentlich jene Formen verschulden, welche die
Spur der Beliebigkeit verwischen. Unwahr aber
ist jenes Unbehagen, weil die Konstellation des
Essays doch nicht derart beliebig ist, wie es einem
philosophischen Subjektivismus dünkt, der den
Zwang der Sache in den der begrifflichen Ord-
nung verlegt. Ihn determiniert die Einheit seines
Gegenstandes samt der von Theorie und Erfah-
rung, die in den Gegenstand eingewandert sind.
Seine Offenheit ist keine vage von Gefühl und
Stimmung, sondern wird konturiert durch seinen
Gehalt. Er sträubt sich gegen die Idee des Haupt-
werks, welche selber die von Schöpfung und Totalität widerspiegelt. Seine Form kommt dem
kritischen Gedanken nach, daß der Mensch kein
Schöpfer, daß nichts Menschliches Schöpfung sei.
Weder tritt der Essay selbst, stets bezogen auf
schon Geschaffenes, als solche auf, noch begehrt
er ein Allumfassendes, dessen Totalität der der
Schöpfung gliche. Seine Totalität, die Einheit
einer in sich auskonstruierten Form, ist die des
nicht Totalen, eine, die auch als Form nicht die
These der Identität von Gedanken und Sache
behauptet, die sie inhaltlich verwirft. Die Befreiung vom Identitätszwang schenkt dem Essay

zuweilen, was dem offiziellen Denken entgleitet, das Moment des Unauslöschlichen, der untilgbaren Farbe. Gewisse Fremdwörter bei Simmel — Cachet, Attitude — verraten diese Intention, ohne daß sie selber theoretisch behandelt würde.

Er ist offener und geschlossener zugleich, als dem traditionellen Denken gefällt. Offener insofern, als er Systematik durch seine Anlage negiert und sich selbst um so besser genügt, je strenger er es damit hält; systematische Residuen in Essays, etwa die Infiltration literarischer Studien mit fertig bezogenen, verbreiteten Philosophemen, durch die sie sich respektabel machen wollen, taugen nicht mehr als psychologische Trivialitäten. Geschlossener aber ist der Essay, weil er an der Form der Darstellung emphatisch arbeitet. Das Bewußtsein der Nichtidentität von Darstellung und Sache nötigt jene zur unbeschränkten Anstrengung. Das allein ist das Kunstähnliche des Essays; sonst ist er vermöge der in ihm vorkommenden Begriffe, die ja selber von draußen nicht nur ihre Bedeutung sondern auch ihren theoretischen Bezug mitbringen, notwendig der Theorie verwandt. Freilich verhält er zu ihr sich so vorsichtig wie zum Begriff. Weder leitet er sich bündig aus ihr ab — der Kardinalfehler aller späteren essayistischen Arbeiten von Lukács — noch ist er Abschlagszahlung auf kommende Synthesen. Unheil droht der geistigen Erfahrung, je angestrengter sie zu Theorie sich verfestigt und gebärdet, als habe sie den Stein der Weisen in Händen. Gleichwohl strebt geistige Erfahrung selbst dem eigenen Sinn nach solcher Objektivierung zu. Diese Antinomie wird vom Essay gespiegelt. Wie er Begriffe und Erfahrungen von draußen absorbiert, so auch Theorien. Nur ist sein Verhältnis zu ihnen nicht das des Standpunkts. Ist die Standpunktlosigkeit des Essays nicht länger naiv und der Prominenz ihrer Gegenstände hörig; nutzt er vielmehr die Beziehung auf seine Gegenstände als Mittel wider den Bann des Anfangs, so verwirklicht er parodisch gleichsam die sonst nur ohnmächtige Polemik des Denkens gegen bloße Standpunktphilosophie. Er zehrt die Theorien auf, die ihm nah sind; seine Tendenz ist stets die zur Liquidation der Meinung, auch der, mit der er selbst anhebt. Er ist, was er von Beginn war, die kritische Form par excellence; und zwar, als immanente Kritik geistiger Gebilde, als Konfrontation dessen, was sie sind, mit ihrem Begriff, Ideologiekritik. »Der Essay ist die Form der kritischen Kategorie unseres Geistes. Denn wer kritisiert, der muß mit Notwendigkeit experimentieren, er muß Bedingungen schaffen, unter denen ein Gegenstand erneut sichtbar wird, noch anders als bei einem Autor, und vor allem muß jetzt die Hinfälligkeit des Gegenstandes erprobt, versucht werden, und eben dies ist ja der Sinn der geringen Variation, die ein Gegenstand durch seinen Kritiker erfährt.«[1]) Wird dem Essay, weil er keinen außerhalb seiner selbst liegenden Standpunkt einbekennt, Standpunktlosigkeit und Relativismus vorgeworfen, so ist dabei eben jene Vorstellung von der Wahrheit als einem »Fertigen«, einer Hierarchie von Begriffen im Spiel, die Hegel zerstörte, der Standpunkte nicht mochte: darin berührt sich der Essay mit seinem Extrem, der Philosophie des absoluten Wissens. Er möchte den Gedanken von seiner Willkür heilen, indem er sie reflektierend ins eigene Verfahren hineinnimmt, anstatt sie als Unmittelbarkeit zu maskieren.

Jene Philosophie freilich blieb behaftet mit der Inkonsequenz, daß sie zugleich den abstrakten Oberbegriff, das bloße »Resultat«, im Namen des in sich diskontinuierlichen Prozesses kritisierte und doch, nach idealistischer Sitte, von dialektischer Methode redete. Darum ist der Essay dialektischer als die Dialektik dort, wo sie selbst sich vorträgt. Er nimmt die Hegelsche Logik beim Wort: weder darf unmittelbar die Wahrheit der Totalität gegen die Einzelurteile ausgespielt noch die Wahrheit zum Einzelurteil verendlicht werden, sondern der Anspruch der Singularität auf Wahrheit wird buchstäblich genommen bis zur Evidenz ihrer Unwahrheit. Das Gewagte, Vorgreifende, nicht ganz Eingelöste jedes essayistischen Details zieht als Negation andere herbei;

[1]) Bense, l. c., S. 420

die Unwahrheit, in die wissend der Essay sich verstrickt, ist das Element seiner Wahrheit. Unwahres liegt gewiß auch in seiner bloßen Form, der Beziehung auf kulturell Vorgeformtes, Abgeleitetes, als wäre es an sich. Je energischer er aber den Begriff eines Ersten suspendiert und sich weigert, Kultur aus Natur herauszuspinnen, um so gründlicher erkennt er das naturwüchsige Wesen von Kultur selber. Bis zum heutigen Tag perpetuiert sich in ihr der blinde Naturzusammenhang, der Mythos, und darauf gerade reflektiert der Essay: das Verhältnis von Natur und Kultur ist sein eigentliches Thema. Nicht umsonst versenkt er, anstatt sie zu »reduzieren«, sich in Kulturphänomene als in zweite Natur, zweite Unmittelbarkeit, um durch Beharrlichkeit deren Illusion aufzuheben. Er täuscht sich so wenig wie die Ursprungsphilosophie über die Differenz zwischen Kultur und darunter Liegendem. Aber ihm ist Kultur kein zu destruierendes Epiphänomen über dem Sein, sondern das darunter Liegende selbst ist thesei, die falsche Gesellschaft. Darum gilt ihm der Ursprung nicht für mehr als der Überbau. Seine Freiheit in der Wahl der Gegenstände, seine Souveränität gegenüber allen priorities von Faktum oder Theorie verdankt er dem, daß ihm gewissermaßen alle Objekte gleich nah zum Zentrum sind: zu dem Prinzip, das alle verhext. Er glorifiziert nicht die Befassung mit Ursprünglichem als ursprünglicher denn die mit Vermittelten, weil ihm die Ursprünglichkeit selber Gegenstand der Reflexion, ein Negatives ist. Das entspricht einer Situation, in der Ursprünglichkeit, als Standpunkt des Geistes inmitten der vergesellschafteten Welt, zur Lüge ward. Sie erstreckt sich von der Erhebung historischer Begriffe aus historischen Sprachen zu Urworten bis zum akademischen Unterricht in »creative writing« und zu der gewerbsmäßig betriebenen Primitivität, zu Blockflöten und finger painting, in denen die pädagogische Not sich als metaphysische Tugend geriert. Der Gedanke ist nicht verschont von Baudelaires Rebellion der Dichtung gegen Natur als gesellschaftliches Reservat. Auch die Paradiese des Gedankens sind einzig noch die künstlichen, und in ihnen ergeht sich der Essay. Weil, nach Hegels Diktum, nichts zwischen Himmel und Erde ist, was nicht vermittelt wäre, hält der Gedanke der Idee von Unmittelbarkeit Treue nur durchs Vermittelte hindurch, während er dessen Beute wird, sobald er unvermittelt das Unvermittelte ergreift. Listig macht der Essay sich fest in die Texte, als wären sie schlechterdings da und hätten Autorität. So bekommt er, ohne den Trug des Ersten, einen wie immer auch dubiosen Boden unter die Füße, vergleichbar der einstigen theologischen Exegese von Schriften. Die Tendenz jedoch ist die entgegengesetzte, die kritische: durch Konfrontation der Texte mit ihrem eigenen emphatischen Begriff, mit der Wahrheit, die ein jeder meint, auch wenn er sie nicht meinen will, den Anspruch von Kultur zu erschüttern und sie zum Eingedenken ihrer Unwahrheit zu bewegen, eben jenes ideologischen Scheins, in dem Kultur als naturverfallen sich offenbart. Unterm Blick des Essays wird die zweite Natur ihrer selbst inne als erste.

Bewegt sich die Wahrheit des Essays durch seine Unwahrheit, so ist sie nicht im bloßen Gegensatz zu seinem Unehrlichen und Verfemten aufzusuchen sondern in diesem selber, seiner Mobilität, seinem Mangel an jenem Soliden, dessen Forderung die Wissenschaft von Eigentumsverhältnissen auf den Geist transferierte. Die den Geist glauben gegen Unsolidität verteidigen zu müssen, sind seine Feinde: Geist selber, einmal emanzipiert, ist mobil. Sobald er mehr will als bloß die administrative Wiederholung und Aufbereitung des je schon Seienden, hat er etwas Ungedecktes; die vom Spiel verlassene Wahrheit wäre nur noch Tautologie. Historisch ist denn auch der Essay der Rhetorik verwandt, welcher die wissenschaftliche Gesinnung seit Descartes und Bacon den Garaus machen wollte, bis sie folgerecht im wissenschaftlichen Zeitalter zur Wissenschaft sui generis, der von den Kommunikationen, herabsank. Wohl war Rhetorik stets schon der Gedanke in seiner Anpassung an die kommunikative Sprache. Er zielte auf die unmittelbare: die Ersatzbefriedigung der Hörer.

Der Essay nun bewahrt gerade in der Autonomie der Darstellung, durch die er von wissenschaftlicher Mitteilung sich unterscheidet, Spuren des Kommunikativen, deren jene enträt. Die Befriedigungen, welche Rhetorik dem Hörer bereiten will, werden im Essay sublimiert zur Idee des Glücks einer Freiheit dem Gegenstand gegenüber, welche diesem mehr von dem seinen gibt, als wenn er unbarmherzig der Ordnung der Ideen eingegliedert würde. Das szientifische Bewußtsein, gerichtet gegen jegliche anthropomorphistische Vorstellung, war von je mit dem Realitätsprinzip verbündet und glücksfeindlich gleich diesem. Während Glück der Zweck aller Naturbeherrschung sein soll, stellt es dieser zugleich immer als Regression in bloße Natur sich dar. Das zeigt sich bis in die höchsten Philosophien, bis in Kant und Hegel hinein. Die Vernunft, an deren absoluter Idee sie ihr Pathos haben, wird zugleich von ihnen als naseweis und respektlos angeschwärzt, sobald sie Geltendes relativiert. Gegen diesen Hang errettet der Essay ein Moment der Sophistik. Spürbar ist die Glücksfeindschaft des offiziell kritischen Gedankens zumal in Kants transzendentaler Dialektik, welche die Grenze zwischen Verstand und Spekulation verewigen möchte und, nach der charakteristischen Metapher, das »Ausschweifen in intelligible Welten« verhindern. Während die Vernunft, die sich selbst kritisiert, bei Kant mit beiden Füßen fest auf dem Boden stehen, sich selbst begründen soll, dichtet sie sich dem innersten Prinzip nach ab gegen jegliches Neue und gegen die auch von der Existentialontologie beschimpfte Neugier, das Lustprinzip des Gedankens. Was Kant inhaltlich als den Zweck der Vernunft einsieht, die Herstellung der Menschheit, die Utopie, wird von der Form, der Erkenntnistheorie her verwehrt, welche der Vernunft es nicht gestattet, über den Bereich der Erfahrung hinauszugehen, der im Mechanismus von bloßem Material und unveränderlicher Kategorie zu dem zusammenschrumpft, was von je schon war. Gegenstand des Essays jedoch ist das Neue als Neues, nicht ins Alte der bestehenden Formen Zurückübersetzbares. Indem er den Gegenstand gleichsam gewaltlos reflektiert, klagt er stumm darüber, daß die Wahrheit das Glück verriet und mit ihm auch sich selbst; und diese Klage reizt zur Wut auf den Essay. Das Überredende der Kommunikation wird an ihm, analog dem Funktionswechsel mancher Züge in der autonomen Musik, seinem ursprünglichen Zweck entfremdet und zur reinen Bestimmung der Darstellung an sich, dem Bezwingenden ihrer Konstruktion, die nicht die Sache abbilden sondern aus ihren begrifflichen membra disiecta wiederherstellen möchte. Die anstößigen Übergänge der Rhetorik aber, in denen Assoziation, Mehrdeutigkeit der Worte, Nachlassen der logischen Synthesis es dem Hörer leicht machten

und den Geschwächten dem Willen des Red-
ners unterjochten, werden im Essay mit dem
Wahrheitsgehalt verschmolzen. Seine Übergänge
desavouieren die bündige Ableitung zugunsten
von Querverbindungen der Elemente, für welche
die diskursive Logik keinen Raum hat. Er benutzt
Äquivokationen nicht aus Schlamperei, nicht in
Unkenntnis ihres szientifischen Verbots, sondern
um heimzubringen, wozu die Äquivokationskri-
tik, die bloße Trennung der Bedeutungen selten
gelangt: daß überall, wo ein Wort Verschiede-
nes deckt, das Verschiedene nicht ganz verschieden sei, sondern daß die Einheit des Worts an
eine wie sehr auch verborgene in der Sache mahnt,
ohne daß freilich diese, nach dem Brauch gegen-
wärtiger restaurativer Philosophien, mit Sprach-
verwandtschaften verwechselt werden dürfte.
Auch darin streift der Essay die musikalische
Logik, die stringente und doch begriffslose Kunst
des Übergangs, um der redenden Sprache etwas
zuzueignen, was sie unter der Herrschaft der diskursiven Logik einbüßte, die sich doch nicht über-
springen, bloß in ihren eigenen Formen über-
listen läßt kraft des eindringenden subjektiven
Ausdrucks. Denn der Essay befindet sich nicht im
einfachen Gegensatz zum diskursiven Verfahren.
Er ist nicht unlogisch; gehorcht selber logischen
Kriterien insofern, als die Gesamtheit seiner
Sätze sich stimmig zusammenfügen muß. Keine
bloßen Widersprüche dürfen stehenbleiben, es

sei denn, sie würden als solche der Sache begründet. Nur entwickelt er die Gedanken anders als nach der diskursiven Logik. Weder leitet er aus einem Prinzip ab noch folgert er aus kohärenten Einzelbeobachtungen. Er koordiniert die Elemente, anstatt sie zu subordinieren; und erst der Inbegriff seines Gehalts, nicht die Art von dessen Darstellung ist den logischen Kriterien kommensurabel. Ist der Essay, im Vergleich zu den Formen, in denen ein fertiger Inhalt indifferent mitgeteilt wird, vermöge der Spannung zwischen Darstellung und Dargestelltem, dynamischer als das traditionelle Denken, so ist er zugleich, als konstruiertes Nebeneinander, statischer. Darin allein beruht seine Affinität zum Bild, nur daß jene Statik selber eine von gewissermaßen stillgestellten Spannungsverhältnissen ist. Die leise Nachgiebigkeit der Gedankenführung des Essayisten zwingt ihn zu größerer Intensität als der des diskursiven Gedankens, weil der Essay nicht gleich diesem blind, automatisiert verfährt, sondern in jedem Augenblick auf sich selber reflektieren muß. Diese Reflexion freilich erstreckt sich nicht nur auf sein Verhältnis zum etablierten Denken sondern ebenso auch auf das zu Rhetorik und Kommunikation. Sonst wird, was überwissenschaftlich sich dünkt, eitel vorwissenschaftlich.

Die Aktualität des Essays ist die des Anachronistischen. Die Stunde ist ihm ungünstiger als je. Er wird zerrieben zwischen einer organisierten Wissenschaft, in der alle sich anmaßen, alle und alles zu kontrollieren, und die, was nicht auf den Consens zugeschnitten ist, mit dem scheinheiligen Lob des Intuitiven oder Anregenden aussperrt; und einer Philosophie, die mit dem leeren und abstrakten Rest dessen vorlieb nimmt, was der Wissenschaftsbetrieb noch nicht besetzte und was ihr eben dadurch Objekt von Betriebsamkeit zweiten Grades wird. Der Essay jedoch hat es mit dem Blinden an seinen Gegenständen zu tun. Er möchte mit Begriffen aufsprengen, was in Begriffe nicht eingeht oder was durch die Widersprüche, in welche diese sich verwickeln, verrät, das Netz ihrer Objektivität sei bloß subjektive Veranstaltung. Er möchte das Opake polarisieren, die darin latenten Kräfte entbinden. Er bemüht sich um die Konkretion des in Raum und Zeit bestimmten Gehalts; konstruiert das Zusammengewachsensein der Begriffe derart, wie sie als im Gegenstand selbst zusammengewachsen vorgestellt werden. Er entschlüpft dem Diktat der Attribute, welche seit der Definition des Symposions den Ideen zugeschrieben werden, »ewig seiend und weder werdend noch vergehend, weder wechselnd noch abnehmend«; »ein um sich selbst für sich selbst ewig eingestaltiges Sein«; und bleibt doch Idee, indem er vor der Last des Seienden nicht kapituliert, nicht dem sich beugt, was bloß ist. Aber er mißt es nicht an einem Ewigen, sondern eher an einem enthusiastischen Fragment aus Nietzsches Spätzeit: »Gesetzt, wir sagen Ja zu einem einzigen Augenblick, so haben wir damit nicht nur zu uns selbst, sondern zu allem Dasein Ja gesagt. Denn es steht Nichts für sich, weder in uns selbst noch in den Dingen: und wenn nur ein einziges Mal unsere Seele wie eine Saite vor Glück gezittert und getönt hat, so waren alle Ewigkeiten nöthig, um dies eine Geschehen zu bedingen — und alle Ewigkeit war in diesem einzigen Augenblick unseres Jasagens gutgeheißen, erlöst, gerechtfertigt und bejaht.«[1] Nur daß der Essay noch solcher Rechtfertigung und Bejahung mißtraut. Für das Glück, das Nietzsche heilig war, weiß er keinen anderen Namen als den negativen. Selbst die höchsten Manifestationen des Geistes, die es ausdrücken, sind immer auch verstrickt in die Schuld, es zu hintertreiben, solange sie bloßer Geist bleiben. Darum ist das innerste Formgesetz des Essays die Ketzerei. An der Sache wird durch Verstoß gegen die Orthodoxie des Gedankens sichtbar, was unsichtbar zu halten insgeheim deren objektiven Zweck ausmacht.

[1] Friedrich Nietzsche, *Der Wille zur Macht* (II), Werke Bd. X, Leipzig 1906, S. 206, § 1032

Über epische Naivetät

»Und wie erfreulich das Land herschwimmenden Männern erscheinet, / Welchen Poseidons Macht das rüstige Schiff in der Meerflut / Schmetterte, durch die Gewalt des Orkans und geschwollener Brandung; / ... Freudig anjetzt ersteigen sie Land, dem Verderben entronnen, / So war ihr auch erfreulich der Anblick ihres Gemahls, / Und fest hielt um den Hals sie die Lilienarme geschlungen.«[1]) Mißt man die *Odyssee* an diesen Versen, dem Gleichnis für das Glück der wieder vereinten Gatten, nicht als an einer bloß eingeschobenen Metapher sondern als an dem gegen Ende der Erzählung nackt erscheinenden Gehalt, so wäre sie nichts anderes als der Versuch, dem stets erneuten Anschlagen des Meeres auf die Felsenküste nachzuhorchen, geduldig nachzuzeichnen, wie das Wasser die Klippen überflutet, um rauschend von ihnen zurückzuströmen und in tieferer Farbe das Feste leuchten zu lassen. Solches Rauschen ist der Laut der epischen Rede, in dem das Eindeutige und Feste mit dem Vieldeutigen und Verfließenden zusammentrifft, um davon gerade sich zu scheiden. Die gestaltlose Flut des Mythos ist das Immergleiche, das Telos

[1]) Homer, *Odyssee*, XXIII, 210 ff. (Voß)

50

der Erzählung jedoch das Verschiedene, und die mitleidslos strenge Identität, in der der epische Gegenstand festgehalten wird, dient gerade dazu, dessen Nichtidentität mit dem schlecht Identischen, dem unartikulierten Einerlei, seine Verschiedenheit selber, zu vollziehen. Die Epopöe will berichten von etwas Berichtenswertem, von einem, das nicht allem andern gleicht, nicht vertauschbar ist und um seines Namens willen verdient, überliefert zu werden.

Weil jedoch der Erzähler der Welt des Mythos als seinem Stoff zugewandt ist, war sein Beginnen, heute mit Unmöglichkeit geschlagen, stets schon widerspruchsvoll. Denn der Mythos, dem die rationale und kommunikative Rede des Erzählers samt ihrer subsumierenden Logik, welche alles Berichtete gleichmacht, als dem Konkreten nachhängt, dem, was von der nivellierenden Ordnung des Begriffssystems noch verschieden wäre — solcher Mythos ist gerade selber doch von der Wesensart der Immergleichheit, die in der ratio zum Bewußtsein ihrer selbst erwachte. Der Erzähler war von jeher der, welcher der universalen Fungibilität widersteht, aber was er in der Geschichte bis auf den heutigen Tag zu berichten hat, war immer schon das Fungible. Aller Epik wohnt daher ein anachronistisches Element inne: dem homerischen Archaismus jener Anrufung der Muse, die helfen soll, das Ungeheure zu vermelden, ebenso wie den verzweifelten Anstrengungen des späten Goethe und Stifters, bürgerliche Verhältnisse als urtümliche, dem unaustauschbaren Wort gleichwie einem Namen offene Wirklichkeit zu fingieren. Dieser Widerspruch aber hat sich, seit es große Epik gibt, in der Verhaltensweise des Erzählers niedergeschlagen als das Element epischer Dichtung, das man als Gegenständlichkeit hervorzuheben pflegt. Gegenüber dem aufgeklärten Bewußtseinsstand, dem die erzählende Rede angehört, dem allgemeinbegrifflichen Wesen, erscheint dies gegenständliche Element stets als eines von Dummheit, ein Nichtverstehen, Nichtbescheidwissen, verstockt ans Besondere dort sich Halten, wo es zugleich schon als vom Allgemeinen Aufgelöstes bestimmt ist. Das Epos ahmt den Bann des Mythos nach, um ihn zu erweichen. K. Th. Preuss hat jene Verhaltensweise »Urdummheit« genannt, und Gilbert Murray die der homerisch-olympischen Phase voraufgehende, die erste Stufe der griechischen Religion, eben dadurch charakterisiert[1]. In der starren Fixierung des epischen Berichts an seinen Gegenstand, welche die Macht von Furcht vor dem brechen soll, welchem das identifizierende Wort ins Auge sieht, wird der Erzähler gleichsam des Gestus von Furcht mächtig. Naivetät ist der Preis, den er da-

---

[1] cf. G. Murray, *Five Stages of Greek Religion*, New York 1925, p. 16; cf. U. v. Wilamowitz-Möllendorf, *Der Glaube der Hellenen*, I, S. 9

für zollt, und ihn verbucht die herkömmliche Ansicht als Gewinn. Die traditionelle Lobpreisung solcher erst in der Dialektik der Form entsprungenen Dummheit des Erzählens hat aus ihr eine bewußtseinsfeindliche, restaurative Ideologie gemacht, deren letzter Abhub in den falsch konkreten philosophischen Anthropologien von heutzutage verschachert wird.

Aber die epische Naivetät ist nicht nur Lüge, um die allgemeine Besinnung von der blinden Anschauung des Besonderen fernzuhalten. Wie sie, als antimythologische Anstrengung, aus dem aufklärerischen, gleichsam positivistischen Bestreben hervorgeht, treu und unverstellt was einmal war so festzuhalten, wie es war, und damit den Zauber, den das Gewesene ausübt, den Mythos im eigentlichen Sinn zu sprengen, bleibt ihr in der Beschränkung aufs Einmalige ein Zug eigentümlich, der Beschränkung transzendiert. Denn das Einmalige ist nicht bloß der trotzige Rückstand gegen die umfassende Allgemeinheit des Gedankens, sondern auch dessen innerste Sehnsucht, die logische Form eines Wirklichen, das nicht mehr von der gesellschaftlichen Herrschaft und dem ihr nachgebildeten klassifizierenden Gedanken umfaßt wäre; der Begriff, der sich versöhnt mit seiner Sache. In der epischen Naivetät lebt die Kritik der bürgerlichen Vernunft. Sie hält jene Möglichkeit von Erfahrung fest, welche zerstört wird von der bürgerlichen Vernunft, die sie gerade zu begründen vorgibt. Die Beschränktheit in der Darstellung des einen Gegenstandes ist das Korrektiv der Beschränktheit, die jeglichen Gedanken ereilt, indem er den einen Gegenstand kraft dessen begrifflicher Operation vergißt, ihn überspinnt, anstatt ihn eigentlich zu erkennen. Wie es leicht ist, die homerische Einfalt, die selber schon zugleich das Gegenteil von Einfalt war, sei's zu belächeln, sei's hämisch gegen den analytischen Geist ins Feld zu führen, so wäre es leicht, die Befangenheit von Gottfried Kellers letztem Roman darzutun und der Konzeption des *Martin Salander* vorzuwerfen, daß das auftrumpfende So-schlecht-sind-heute-die-Menschen kleinbürgerliche Unkenntnis der ökonomischen Gründe der Krisen, der gesellschaftlichen Voraussetzungen der Gründerjahre verrate und das Wesentliche verfehle. Aber nur solche Naivetät wiederum erlaubt es, von den unheilschwangeren Anfängen der spätkapitalistischen Ära zu erzählen und der Anamnesis sie zuzueignen, anstatt bloß von ihnen zu berichten und sie kraft des Protokolls, das von Zeit einzig noch als einem Index weiß, mit trugvoller Gegenwärtigkeit ins Nichts dessen hinabzustoßen, woran keine Erinnerung mehr sich zu heften vermag. In solcher Erinnerung an das, was eigentlich schon gar nicht mehr sich erinnern läßt, drückt dann freilich Kellers Beschreibung der beiden betrügerischen Advokaten, die Zwillingsbrüder, Duplikate, sind, soviel von der Wahrheit aus, nämlich gerade von der erinnerungsfeindlichen Fungibilität, wie erst wieder einer Theorie möglich wäre, die noch den Verlust von Erfahrung aus der Erfahrung der Gesellschaft durchsichtig bestimmte. Vermöge der epischen Naivetät übt das erzählende Wort, in dessen Habitus dem Vergangenen gegenüber immer ein Apologetisches, die Rechtfertigung der Begebenheit als einer bemerkenswerten, lebt, Korrektur an sich selber. Die Genauigkeit des beschreibenden Wortes sucht die Unwahrheit aller Rede zu kompensieren. Der Drang Homers, einen Schild wie eine Landschaft zu beschreiben und eine Metapher zur Aktion durchzubilden, bis sie, selbständig geworden, das Gewebe der Erzählung zerreißt — dieser Drang ist der gleiche, der die größten Erzähler des neunzehnten Jahrhunderts, zumindest in Deutschland, Goethe, Stifter und Keller, immer wieder dazu trieb, zu zeichnen und zu malen, anstatt zu schreiben, und die archäologischen Studien Flauberts mag der gleiche Impuls inspiriert haben. Der Versuch, die Darstellung von der reflektierenden Vernunft zu emanzipieren, ist der stets schon verzweifelte Versuch der Sprache, indem ihre bestimmende Intention bis zum äußersten getrieben wird, vom Negativen ihrer Intentionalität, der begrifflichen Manipulation der Gegenstände zu heilen und das Wirkliche rein, unverstört von der Gewalt der Ordnungen hervortreten zu lassen. Die Dummheit und Blindheit des Erzählers — nicht zufällig hat die Überlieferung Homer als Blinden aufgefaßt — drückt bereits Unmöglichkeit und Hoffnungslosigkeit solchen Beginnens aus. Gerade das gegenständliche Element des Epos, das aller Spekulation und Phantasie extrem entgegensetzte, führt die Erzählung, um ihrer apriorischen Unmöglichkeit willen, an den Rand des Wahnsinns. Die letzten Novellen Stifters geben vom Übergang der gegenständlichen Treue in die manische Obsession die deutlichste Kunde, und keine Erzählung hat je Teil an der Wahrheit gehabt, die nicht in den Abgrund hinabgeblickt hätte, in welchen die Sprache einstürzt, die sich selbst aufheben möchte in Namen und Bild. Die homerische Besonnenheit macht davon keine Ausnahme. Wenn im letzten Gesang der *Odyssee*, der zweiten Nekyia, die Seele des Freiers Amphimedon der des Agamemnon im Hades von der Rache des Odysseus und seines Sohnes berichtet, kommen die Verse vor: »Beide, da über der Freier entsetzlichen Mord sie geratschlagt, / Kamen zur prangenden Stadt der Ithaker; nämlich Odysseus / Folgete nach; ihm voraus war Telemachos früher gegangen.«[1]) Das »Nämlich«[2]) hält um

[1]) *Odyssee*, XXIV. 153 ff.

[2]) Schröder übersetzt: und wahrlich Odysseus blieb zurück. Die wörtliche Übertragung des ἦ als einer Partikel der Bekräftigung und nicht der Explikation ändert nichts am enigmatischen Charakter der Stelle.

des Zusammenhangs willen die logische Form sei's der Erklärung, sei's der Affirmation fest, während der Inhalt des Satzes, als rein darstellende Aussage, in einem solchen Zusammenhang mit dem Vorhergehenden gar nicht steht. In dem minimalen Widersinn der fortführenden Partikel stößt der Geist der erzählenden, logisch-intentionalen Sprache zusammen mit dem Geist der wortlosen Darstellung, dem jene nachhängt, und gerade die logische Form der Fortführung droht den Gedanken, der nicht fortführt, eigentlich Gedanke schon nicht mehr ist, dorthin zu verschlagen, wo Syntax und Stoff sich verlieren und der Stoff seine Übermacht bekräftigt, indem er die syntaktische Form, die ihn zu umfassen strebt, Lügen straft. Das aber ist das epische, das eigentlich antikische Element in Hölderlins Wahnsinn. In dem Gedicht *An die Hoffnung* heißt es: »Im grünen Tale, dort, wo der frische Quell / Vom Berge täglich rauscht und die liebliche / Zeitlose mir am Herbsttag aufblüht, / Dort, in der Stille, du holde, will ich / Dich suchen, oder wenn in der Mitternacht / Das unsichtbare Leben im Haine wallt, / Und über mir die immerfrohen / Blumen, die blühenden Sterne glänzen.« [1]) Das Oder, und häufig dann Partikeln bei

[1]) Friedrich Hölderlin, *An die Hoffnung*, Gesamtausgabe des Insel-Verlags (Text nach Zinkernagel), Leipzig o. J., S. 139. – Zwischen Voß und Hölderlin bestehen literargeschichtliche Zusammenhänge.

Trakl, gleicht jenem homerischen Nämlich. Während die Sprache, um Sprache überhaupt zu bleiben, in solchen Wendungen urteilend noch Synthesis des Zusammenhangs der Dinge zu sein beansprucht, begibt sie in den Worten, deren Verwendung gerade den Zusammenhang auflöst, sich des Urteils. Die epische Verknüpfung, in der die Führung des Gedankens schließlich erschlafft, wird zur Gnade, die in der Sprache vorm Recht des Urteils ergeht, das sie doch unweigerlich bleibt. Gedankenflucht, die Opfergestalt der Rede, ist die Flucht der Sprache aus ihrem Gefängnis. Wenn bei Homer, wie Thomson besonders hervorhebt, die Metapher gegenüber dem Bedeuteten, der Handlung, Selbständigkeit gewinnt[1]), so prägt darin die gleiche Feindschaft gegen die Gebundenheit der Sprache im Zusammenhang der Intentionen sich aus. Das sprachlich ausgeführte Bild vergißt an die eigene Bedeutung, um die Sprache selber ins Bild hineinzuziehen, anstatt das Bild durchsichtig zu machen auf den logischen Sinn des Zusammenhanges. In der großen Erzählung kehrt tendenziell das Verhältnis von Bild und Handlung sich um. Davon hat Goethes

---

[1]) No, one would deny that ... true similes have been in constant use from the beginnings of human speech ... But, besides these, there are others which, as we have seen, are formally similes, but in reality are disguised identifications or transformations (J. A. K. Thomson, *Studies in the Odyssey*, Oxford 1914, p. 7). Metaphern sind danach Spuren des historischen Prozesses.

Technik in den *Wahlverwandtschaften* und den *Wanderjahren,* wo bildchenhafte, intermittierende Novellen das Wesen des Dargestellten reflektieren, Zeugnis abgelegt, und Homer-Allegoresen von der Art der berühmten Schellingschen Formel von der Odyssee des Geistes[1] haben das Gleiche geahnt. Nicht daß die Epen von allegorischer Absicht diktiert wären. Aber die Gewalt der geschichtlichen Tendenz in Sprache und Sachgehalt ist in ihnen so groß, daß im Lauf des Prozesses zwischen Subjektivität und Mythologie Menschen und Dinge vermöge der Blindheit, mit der das Epos ihrer Darstellung sich überläßt, in bloße Schauplätze sich verwandeln, über denen jene Tendenz sichtbar wird, gerade dort, wo der pragmatische und sprachliche Zusammenhang brüchig sich zeigt. »Es kämpfen keine Individuen, sondern Ideen miteinander«, heißt es in einem Fragment Nietzsches zu *Homers Wettkampf*[2]. Der objektive Umschlag der reinen bedeutungsfernen Darstellung in die Allegorie der Geschichte ist es, der am logischen Zerfall der epischen Sprache wie an der Ablösung der Metapher vom Gang der buchstäblichen Handlung sichtbar wird. Erst durch Sinnverlassenheit

[1] Schelling, Werke, II, Leipzig 1907, S. 302, *(System des transzendentalen Idealismus).* Im übrigen hat Schelling später in der Philosophie der Kunst die allegorische Auslegung Homers ausdrücklich verworfen (cf. l. c. III, S. 57).

[2] Werke IX, S. 287

ähnelt die epische Rede dem Bilde sich an, einer Figur objektiven Sinnes, die aus der Negation von subjektiv vernünftigem Sinn aufsteigt.

Standort des Erzählers
im zeitgenössischen Roman

Die Aufgabe, in wenige Minuten einiges über den gegenwärtigen Stand des Romans als Form zusammenzudrängen, zwingt dazu, sei's auch gewaltsam, ein Moment herauszugreifen. Das soll die Stellung des Erzählers sein. Sie wird heute bezeichnet durch eine Paradoxie; es läßt sich nicht mehr erzählen, während die Form des Romans Erzählung verlangt. Der Roman war die spezifische literarische Form des bürgerlichen Zeitalters. An seinem Beginn steht die Erfahrung von der entzauberten Welt im *Don Quixote*, und die künstlerische Bewältigung bloßen Daseins ist sein Element geblieben. Der Realismus war ihm immanent; selbst die dem Stoff nach phantastischen Romane haben getrachtet, ihren Inhalt so vorzutragen, daß die Suggestion des Realen davon ausging. Diese Verhaltensweise ist, in einer bis ins neunzehnte Jahrhundert zurückreichenden, heute zum Extrem beschleunigten Entwicklung fragwürdig geworden. Vom Standpunkt des Erzählers her durch den Subjektivismus, der kein unverwandelt Stoffliches mehr duldet und eben damit das epische Gebot der Gegenständlichkeit unterhöhlt. Wer heute noch, wie Stifter etwa, ins Gegenständliche sich versenkte und Wirkung zöge aus der Fülle und Plastik des demütig hingenommenen Angeschauten, wäre gezwungen zum Gestus kunstgewerblicher Imitation. Er machte der Lüge sich schuldig, der Welt mit einer Liebe sich zu überlassen, die voraussetzt, daß die Welt sinnvoll ist, und endete beim unerträglichen Kitsch vom Schlage der Heimatkunst. Nicht geringer sind die Schwierigkeiten von der Sache her. Wie der Malerei von ihren traditionellen Aufgaben vieles entzogen wurde durch die Photographie, so dem Roman durch die Reportage und die Medien der Kulturindustrie, zumal den Film. Der Roman müßte sich auf das konzentrieren, was nicht durch den Bericht abzugelten ist. Nur sind ihm im Gegensatz zur Malerei in der Emanzipation vom Gegenstand Grenzen gesetzt durch die Sprache, die ihn weithin zur Fiktion des Berichtes nötigt: konsequent hat Joyce die Rebellion des Romans gegen den Realismus mit einer gegen die diskursive Sprache verbunden.

Die Abwehr seines Versuchs als abseitig individualistischer Willkür wäre armselig. Zerfallen ist die Identität der Erfahrung, das in sich kontinuierliche und artikulierte Leben, das die Haltung des Erzählers einzig gestattet. Man braucht nur die Unmöglichkeit sich zu vergegenwärtigen, daß irgendeiner, der am Krieg teilnahm, von ihm so erzählte, wie früher einer von seinen Abenteuern erzählen mochte. Mit Recht begegnet die

Erzählung, die auftritt, als wäre der Erzähler solcher Erfahrung mächtig, der Ungeduld und Skepsis beim Empfangenden. Vorstellungen wie die, daß einer sich hinsetzt und »ein gutes Buch liest«, sind archaisch. Das liegt nicht bloß an der Dekonzentration der Leser sondern am Mitgeteilten selber und seiner Form. Etwas erzählen heißt ja: etwas *Besonderes* zu sagen haben, und gerade das wird von der verwalteten Welt, von Standardisierung und Immergleichheit verhindert. Vor jeder inhaltlich ideologischen Aussage ist ideologisch schon der Anspruch des Erzählers, als wäre der Weltlauf wesentlich noch einer der Individuation, als reichte das Individuum mit seinen Regungen und Gefühlen ans Verhängnis noch heran, als vermöchte unmittelbar das Innere des Einzelnen noch etwas: die allverbreitete biographische Schundliteratur ist ein Zersetzungsprodukt der Romanform selber.

Von der Krisis der literarischen Gegenständlichkeit ist die Sphäre der Psychologie, in der gerade jene Produkte sich häuslich, wenngleich mit wenig Glück einrichten, nicht ausgenommen. Auch dem psychologischen Roman werden seine Gegenstände vor der Nase weggeschnappt: mit Recht hat man bemerkt, daß zu einer Zeit, da Journalisten ohne Unterlaß an den psychologischen Errungenschaften Dostojewskys sich berauschten, die Wissenschaft, zumal die Psychoanalyse Freuds, längst jene Funde des Romanciers hinter sich gelassen hatte. Übrigens hat man wohl mit solchem phrasenhaften Lob Dostojewsky verfehlt: soweit es bei ihm überhaupt Psychologie gibt, ist es eine des intelligiblen Charakters, des Wesens, und nicht des empirischen, der Menschen, so wie sie herumlaufen. Und gerade darin ist er fortgeschritten. Nicht nur, daß alles Positive, Greifbare, auch die Faktizität des Inwendigen von Informationen und Wissenschaft beschlagnahmt ist, nötigt den Roman, damit zu brechen und der Darstellung des Wesens oder Unwesens sich zu überantworten, sondern auch, daß, je dichter und lückenloser die Oberfläche des gesellschaftlichen Lebensprozesses sich fügt, um so hermetischer diese als Schleier das Wesen verhüllt. *Will der Roman seinem realistischen Erbe treu bleiben und sagen, wie es wirklich ist, so muß er auf einen Realismus verzichten, der, indem er die Fassade reproduziert, nur dieser bei ihrem Täuschungsgeschäfte hilft.* Die Verdinglichung aller Beziehungen zwischen den Individuen, die ihre menschlichen Eigenschaften in Schmieröl für den glatten Ablauf der Maschinerie verwandelt, die universale Entfremdung und Selbstentfremdung, fordert beim Wort gerufen zu werden, und dazu ist der Roman qualifiziert wie wenig andere Kunstformen. Von jeher, sicherlich seit dem achtzehnten Jahrhundert, seit Fieldings *Tom Jones*, hatte er seinen wahren Gegenstand am Konflikt zwischen den lebendigen

Menschen und den versteinerten Verhältnissen. Entfremdung selber wird ihm dabei zum ästhetischen Mittel. Denn je fremder die Menschen, die Einzelnen und die Kollektive, einander geworden sind, desto rätselhafter werden sie einander zugleich, und der Versuch, das Rätsel des äußeren Lebens zu dechiffrieren, der eigentliche Impuls des Romans, geht über in die Bemühung ums Wesen, das gerade in der von Konventionen gesetzten, vertrauten Fremdheit nun seinerseits bestürzend, doppelt fremd erscheint. Das antirealistische Moment des neuen Romans, seine metaphysische Dimension, wird selber gezeitigt von seinem realen Gegenstand, einer Gesellschaft, in der die Menschen voneinander und von sich selber gerissen sind. In der ästhetischen Transzendenz reflektiert sich die Entzauberung der Welt.

All das hat kaum seinen Platz in der bewußten Erwägung des Romanciers, und Grund ist zur Annahme, daß, wo es in jene eindringt, wie etwa in den sehr groß intendierten Romanen Hermann Brochs, es dem Gestalteten nicht zum besten anschlägt. Vielmehr setzen sich die geschichtlichen Veränderungen der Form um in idiosynkratische Empfindlichkeiten der Autoren, und es entscheidet wesentlich über ihren Rang, wie weit sie als Meßinstrumente des Geforderten und Verwehrten fungieren. An Empfindlichkeit gegen die Form des Berichts hat keiner Marcel

Proust übertroffen. Sein Werk gehört in die Tradition des realistischen und psychologischen Romans, auf der Linie von dessen subjektivistisch extremer Auflösung, wie sie, ohne alle historische Kontinuität mit dem Franzosen, über Gebilde wie Jacobsens *Niels Lyhne* und Rilkes *Malte Laurids Brigge* führt. Je strenger es mit dem Realismus des Auswendigen, der Geste »so war es« gehalten wird, um so mehr wird jedes Wort zum bloßen Als ob, um so mehr wächst der Widerspruch zwischen seinem Anspruch an und dem, daß es nicht so war. Eben jener immanente Anspruch, den der Autor unabdingbar erhebt: daß er genau wisse, wie es zugegangen sei, will ausgewiesen werden, und die ins Schimärische getriebene Präzision Prousts, die mikrologische Technik, unter der schließlich die Einheit des Lebendigen nach Atomen sich spaltet, ist eine einzige Anstrengung des ästhetischen Sensoriums, diesen Ausweis zu leisten, ohne den Bannkreis der Form zu überschreiten. Mit dem Bericht von einem Unwirklichen einzusetzen etwa, als wäre es wirklich gewesen, hätte er nicht über sich gebracht. Daher beginnt sein zyklisches Werk mit der Erinnerung daran, wie ein Kind einschläft, und das ganze erste Buch ist nichts als eine Entfaltung der Schwierigkeiten beim Einschlafen, wenn dem Knaben seine schöne Mutter nicht den Gute-Nacht-Kuß gegeben hat. Der Erzähler stiftet gleichsam einen Innenraum, der ihm den

Fehltritt in die fremde Welt erspart, wie er zutage käme an der Falschheit des Tons, der mit jener vertraut tut. Unmerklich wird die Welt in diesen Innenraum — man hat der Technik den Titel des monologue intérieur verliehen — hineingezogen, und was immer an Äußerem sich abspielt, kommt so vor, wie es auf der ersten Seite vom Augenblick des Einschlafens gesagt wird: als ein Stück Innen, ein Moment des Bewußtseinsstroms, behütet vor der Widerlegung durch die objektive raumzeitliche Ordnung, zu deren Suspension das Proustsche Werk aufgeboten ist. Aus ganz anderen Voraussetzungen und in ganz anderem Geist hat der Roman des deutschen Expressionismus, etwa Gustav Sacks *Verbummelter Student* Verwandtes visiert. Das epische Bestreben, nichts Gegenständliches darzustellen, als was sich ganz und gar füllen läßt, hebt schließlich die epische Grundkategorie der Gegenständlichkeit auf.

Der traditionelle Roman, dessen Idee vielleicht am authentischsten in Flaubert sich verkörpert, ist der Guckkastenbühne des bürgerlichen Theaters zu vergleichen. Diese Technik war eine der Illusion. Der Erzähler lüftet einen Vorhang: der Leser soll Geschehenes mitvollziehen, als wäre er leibhaft zugegen. Die Subjektivität des Erzählers bewährt sich in der Kraft, diese Illusion herzustellen, und — bei Flaubert — in der Reinheit der Sprache, die sie zugleich durch Vergeistigung doch dem empirischen Bereich enthebt, dem sie sich verschreibt. Ein schweres Tabu liegt über der Reflexion: sie wird zur Kardinalsünde gegen die sachliche Reinheit. Mit dem illusionären Charakter des Dargestellten verliert heute auch dies Tabu seine Kraft. Oft ist hervorgehoben worden, daß im neuen Roman, nicht nur bei Proust, sondern ebenso beim Gide der *Faux-Monnayeurs*, beim späteren Thomas Mann, in Musils *Mann ohne Eigenschaften* die Reflexion die reine Formimmanenz durchbricht. Aber solche Reflexion hat kaum mehr als den Namen mit der vorflaubertschen gemein. Diese war moralisch: Parteinahme für oder gegen Romanfiguren. Die neue ist Parteinahme gegen die Lüge der Darstellung, eigentlich gegen den Erzähler selbst, der als überwacher Kommentator der Vorgänge seinen unvermeidlichen Ansatz zu berichtigen trachtet. Die Verletzung der Form liegt in deren eigenem Sinn. Heute erst läßt Thomas Manns Medium, die enigmatische, auf keinen inhaltlichen Spott reduzierbare Ironie, sich ganz verstehen aus ihrer formbildenden Funktion: der Autor schüttelt mit dem ironischen Gestus, der den eigenen Vortrag zurücknimmt, den Anspruch ab, Wirkliches zu schaffen, dem doch keines selbst seiner Worte entrinnen kann; am sinnfälligsten vielleicht in der Spätphase, im *Erwählten* und in der *Betrogenen*, wo der Dichter, spielend mit einem romantischen Motiv, durch den Habitus der Sprache

den Guckkastencharakter der Erzählung, die Un-
wirklichkeit der Illusion einbekennt, und eben
damit, nach seinem Wort, dem Kunstwerk jenen
Charakter des höheren Jux zurückgibt, den es
besaß, ehe es mit der Naivetät der Unnaivetät
den Schein allzu ungebrochen als Wahres prä-
sentierte.

Wenn vollends bei Proust der Kommentar
derart mit der Handlung verflochten ist, daß die
Unterscheidung zwischen beiden schwindet, so
greift damit der Erzähler einen Grundbestand
im Verhältnis zum Leser an: die ästhetische
Distanz. Diese war im traditionellen Roman un-
verrückbar. Jetzt variiert sie wie Kameraeinstel-
lungen des Films: bald wird der Leser draußen
gelassen, bald durch den Kommentar auf die
Bühne, hinter die Kulissen, in den Maschinen-
raum geleitet. Zu den Extremen, an denen mehr
über den gegenwärtigen Roman sich lernen läßt
als an irgendeinem sogenannten »typischen«
mittleren Sachverhalt rechnet das Verfahren Kafkas, die Distanz vollends einzuziehen. Durch
Schocks zerschlägt er dem Leser die kontemplative Geborgenheit vorm Gelesenen. Seine Romane, wenn anders sie unter den Begriff überhaupt noch fallen, sind die vorwegnehmende
Antwort auf eine Verfassung der Welt, in der
die kontemplative Haltung zum blutigen Hohn
ward, weil die permanente Drohung der Katastrophe keinem Menschen mehr das unbeteiligte

Zuschauen und nicht einmal dessen ästhetisches Nachbild mehr erlaubt. Auch von den minderen Erzählern, die schon kein Wort mehr zu schreiben wagen, das nicht als Tatsachenbericht um Entschuldigung dafür bittet, daß es geboren ist, wird die Distanz eingezogen. Kündigt bei ihnen die Schwäche eines Bewußtseinsstandes sich an, der zu kurzatmig ist, um seine ästhetische Darstellung zu dulden, und der kaum mehr Menschen hervorbringt, die solcher Darstellung fähig wären, so ist in der fortgeschrittensten Produktion, der solche Schwäche nicht fremd bleibt, die Einziehung der Distanz Gebot der Form selber, eines der wirksamsten Mittel, den vordergründigen Zusammenhang zu durchschlagen und das Darunterliegende, die Negativität des Positiven auszudrücken. Nicht daß notwendig wie bei Kafka die Schilderung von Imaginärem die von Realem ablöste. Er eignet sich schlecht zum Muster. Aber die Differenz zwischen Realem und imago wird grundsätzlich kassiert. Es ist den großen Romanciers der Epoche gemeinsam, daß die alte Romanforderung des »So ist es«, bis zu Ende gedacht, eine Flucht geschichtlicher Urbilder auslöst, in Prousts unwillkürlicher Erinnerung wie in den Parabeln Kafkas und in den epischen Kryptogrammen von Joyce. Das dichterische Subjekt, das von den Konventionen gegenständlicher Darstellung sich lossagt, bekennt zugleich die eigene Ohnmacht, die Übermacht der Dingwelt ein, die inmitten des Monologs wiederkehrt. So bereitet sich eine zweite Sprache, vielfach aus dem Abhub der ersten destilliert, eine zerfallene assoziative Dingsprache, wie sie den Monolog nicht bloß des Romanciers, sondern der ungezählten der ersten Sprache Entfremdeten durchwächst, welche die Masse ausmachen. Wenn Lukács in seiner Theorie des Romans vor vierzig Jahren die Frage aufwarf, ob die Romane Dostojewskys Bausteine zukünftiger Epen, wo nicht selber bereits solche Epen seien, dann gleichen in der Tat die heutigen Romane, die zählen, jene, in denen die entfesselte Subjektivität aus der eigenen Schwerkraft in ihr Gegenteil übergeht, negativen Epopöen. Sie sind Zeugnisse eines Zustands, in dem das Individuum sich selbst liquidiert und der sich begegnet mit dem vorindividuellen, wie er einmal die sinnerfüllte Welt zu verbürgen schien. Mit aller gegenwärtigen Kunst teilen diese Epopöen die Zweideutigkeit, daß es nicht bei ihnen steht, etwas darüber auszumachen, ob die geschichtliche Tendenz, die sie registrieren, Rückfall in die Barbarei ist oder doch auf die Verwirklichung der Menschheit abzielt, und manche fühlen sich im Barbarischen allzu behaglich. Kein modernes Kunstwerk, das etwas taugte und nicht an der Dissonanz und dem Losgelassenen auch seine Lust hätte. Aber indem solche Kunstwerke gerade das Grauen ohne Kompromiß verkörpern und alles Glück der Betrachtung in die Reinheit solchen Ausdrucks werfen, dienen sie der Freiheit, die von der mittleren Produktion nur verraten wird, weil sie nicht zeugt von dem, was dem Individuum der liberalen Ära widerfuhr. Ihre Produkte sind über der Kontroverse zwischen engagierter Kunst und l'art pour l'art, über der Alternative zwischen der Banausie der Tendenzkunst und der Banausie der genießerischen. Karl Kraus hat einmal den Gedanken formuliert, was immer aus seinen Werken moralisch als leibhafte, nichtästhetische Wirklichkeit spreche, sei ihm lediglich unterm Gesetz der Sprache, also im Namen von l'art pour l'art zuteil geworden. Die Einziehung der ästhetischen Distanz im Roman heute, und damit dessen Kapitulation vor der übermächtigen und nur noch real zu verändernden, nicht im Bilde zu verklärenden Wirklichkeit, wird erheischt von dem, wohin die Form von sich aus möchte.

Rede über Lyrik und Gesellschaft

Bei der Ankündigung eines Vortrags über Lyrik und Gesellschaft wird viele von Ihnen Unbehagen ergreifen. Sie werden eine soziologische Betrachtung erwarten, wie sie nach Belieben an jeden Gegenstand sich heften kann, so wie man vor fünfzig Jahren Psychologien, vor dreißig Phänomenologien aller erdenklichen Dinge erfand. Sie werden dabei das Mißtrauen hegen, daß die Erörterung der Bedingungen, unter denen Gebilde entstanden, und die ihrer Wirkung, sich vorwitzig an Stelle der Erfahrung von den Gebilden wie sie sind setzen will; daß Zuordnungen und Relationen die Einsicht in Wahrheit oder Unwahrheit des Gegenstandes selber verdrängen. Sie werden argwöhnen, daß ein Intellektueller dessen schuldig werde, was Hegel dem »formellen Vorstand« vorwarf, daß er nämlich, indem er das Ganze übersieht, über dem einzelnen Dasein steht, von dem er spricht, das heißt, es gar nicht sieht, sondern es etikettiert. Das Peinliche eines solchen Verfahrens wird Ihnen an der Lyrik besonders fühlbar. Das Zarteste, Zerbrechlichste soll angetastet, mit eben dem Getriebe zusammengebracht werden, von dem unberührt sich zu halten im Ideal zumindest des traditionellen

Sinnes von Lyrik liegt. Eine Sphäre des Ausdrucks, die ihr Wesen geradezu daran hat, die Macht der Vergesellschaftung sei's nicht anzuerkennen, sei's, wie bei Baudelaire oder Nietzsche, durchs Pathos der Distanz zu überwinden, soll arrogant durch die Art ihrer Betrachtung zum Gegenteil dessen gemacht werden, als was sie sich selber weiß. Kann, so werden Sie fragen, von Lyrik und Gesellschaft ein anderer reden als ein amusischer Mensch?

Offenbar ist dem Verdacht nur dann zu begegnen, wenn lyrische Gebilde nicht als Demonstrationsobjekte soziologischer Thesen mißbraucht werden, sondern wenn ihre Beziehung auf Gesellschaftliches an ihnen selber etwas Wesentliches, etwas vom Grund ihrer Qualität aufdeckt. Sie soll nicht wegführen vom Kunstwerk, sondern tiefer in es hinein. Daß das aber zu erwarten sei, darauf allerdings führt die einfachste Besinnung. Denn der Gehalt eines Gedichts ist nicht bloß der Ausdruck individueller Regungen und Erfahrungen. Sondern diese werden überhaupt erst dann künstlerisch, wenn sie, gerade vermöge der Spezifikation ihres ästhetischen Geformtseins, Anteil am Allgemeinen gewinnen. Nicht, daß was das lyrische Gedicht ausdrückt, unmittelbar das sein müßte, was alle erleben. Seine Allgemeinheit ist keine volonté de tous, keine der bloßen Kommunikation dessen, was die anderen nur eben nicht kommunizieren können. Sondern die Versenkung ins Individuierte erhebt das lyrische Gedicht dadurch zum Allgemeinen, daß es Unentstelltes, Unerfaßtes, noch nicht Subsumiertes in die Erscheinung setzt und so geistig etwas vorwegnimmt von einem Zustand, in dem kein schlecht Allgemeines, nämlich zutiefst Partikulares mehr das andere, Menschliche fesselte. Von rückhaltloser Individuation erhofft sich das lyrische Gebilde das Allgemeine. Ihr eigentümliches Risiko aber hat Lyrik daran, daß ihr Individuationsprinzip nie die Erzeugung von Verpflichtendem, Authentischem garantiert. Sie hat keine Macht darüber, ob sie nicht in der Zufälligkeit der bloßen abgespaltenen Existenz verharrt.

Jene Allgemeinheit des lyrischen Gehalts jedoch ist wesentlich gesellschaftlich. Nur der versteht, was das Gedicht sagt, wer in dessen Einsamkeit der Menschheit Stimme vernimmt; ja, noch die Einsamkeit des lyrischen Wortes selber ist von der individualistischen und schließlich atomistischen Gesellschaft vorgezeichnet, so wie umgekehrt seine allgemeine Verbindlichkeit von der Dichte seiner Individuation lebt. Daher aber ist das Denken des Kunstwerks berechtigt und verpflichtet, dem gesellschaftlichen Gehalt konkret nachzufragen, nicht bei dem vagen Gefühl eines Allgemeinen und Umfangenden sich zu beruhigen. Solche denkende Bestimmung ist keine kunstfremde und äußerliche Reflexion, sondern wird von jedem sprachlichen Gebilde gefordert.

Sein eigenes Material, die Begriffe, erschöpfen sich nicht in der bloßen Anschauung. Um ästhetisch angeschaut werden zu können, wollen sie immer auch gedacht werden, und der Gedanke, einmal vom Gedicht ins Spiel gesetzt, läßt sich nicht auf dessen Geheiß sistieren.

Dieser Gedanke aber, die gesellschaftliche Deutung von Lyrik, wie übrigens von allen Kunstwerken, darf danach nicht unvermittelt auf den sogenannten gesellschaftlichen Standort oder die gesellschaftliche Interessenlage der Werke oder gar ihrer Autoren zielen. Vielmehr hat sie auszumachen, wie das *Ganze* einer Gesellschaft, als einer in sich widerspruchsvollen Einheit, im Kunstwerk erscheint; worin das Kunstwerk ihr zu Willen bleibt, worin es über sie hinausgeht. Das Verfahren muß, nach der Sprache der Philosophie, immanent sein. Gesellschaftliche Begriffe sollen nicht von außen an die Gebilde herangetragen, sondern geschöpft werden aus der genauen Anschauung von diesen selbst. Der Satz aus Goethes *Maximen und Reflexionen,* daß du, was du nicht verstehst, auch nicht besitzest, gilt nicht nur für das ästhetische Verhältnis zu Kunstwerken sondern ebenso für die ästhetische Theorie: nichts, was nicht in den Werken, ihrer eigenen Gestalt ist, legitimiert die Entscheidung darüber, was ihr Gehalt, das Gedichtete selber, gesellschaftlich vorstellt. Das zu bestimmen verlangt freilich Wissen wie vom Inneren der Kunstwerke so auch von der Gesellschaft draußen. Aber verbindlich ist dies Wissen nur, wenn es in dem rein der Sache sich Überlassen sich wiederentdeckt. Wachsamkeit ist geboten zumal dem heute ins Unerträgliche ausgewalzten Ideologiebegriff gegenüber. Denn Ideologie ist Unwahrheit, falsches Bewußtsein, Lüge. Sie offenbart sich im Mißlingen der Kunstwerke, ihrem Falschen in sich und wird getroffen von Kritik. Großen Kunstwerken aber, die an Gestaltung und allein dadurch an tendenzieller Versöhnung tragender Widersprüche des realen Daseins ihr Wesen haben, nachzusagen, sie seien Ideologie, tut nicht bloß ihrem eigenen Wahrheitsgehalt unrecht, sondern verfälscht auch den Ideologiebegriff. Dieser behauptet nicht, aller Geist tauge nur dazu, daß irgendwelche Menschen irgendwelche partikularen Interessen als allgemeine unterschieben, sondern will den bestimmten falschen Geist entlarven und ihn zugleich in seiner Notwendigkeit begreifen. Kunstwerke jedoch haben ihre Größe einzig daran, daß sie sprechen lassen, was die Ideologie verbirgt. Ihr Gelingen selber geht, mögen sie es wollen oder nicht, übers falsche Bewußtsein hinaus.

Lassen Sie mich an Ihr eigenes Mißtrauen anknüpfen. Sie empfinden die Lyrik als ein der Gesellschaft Entgegengesetztes, durchaus Individuelles. Ihr Affekt hält daran fest, daß es so bleiben soll, daß der lyrische Ausdruck, gegenständlicher Schwere entronnen, das Bild eines Lebens beschwöre, das frei sei vom Zwang der herrschenden Praxis, der Nützlichkeit, vom Druck der sturen Selbsterhaltung. Diese Forderung an die Lyrik jedoch, die des jungfräulichen Wortes, ist in sich selbst gesellschaftlich. Sie impliziert den Protest gegen einen gesellschaftlichen Zustand, den jeder Einzelne als sich feindlich, fremd, kalt, bedrückend erfährt, und negativ prägt der Zustand dem Gebilde sich ein: je schwerer er lastet, desto unnachgiebiger widersteht ihm das Gebilde, indem es keinem Heteronomen sich beugt und sich gänzlich nach dem je eigenen Gesetz konstituiert. Sein Abstand vom bloßen Dasein wird zum Maß von dessen Falschem und Schlechtem. Im Protest dagegen spricht das Gedicht den Traum einer Welt aus, in der es anders wäre. Die Idiosynkrasie des lyrischen Geistes gegen die Übergewalt der Dinge ist eine Reaktionsform auf die Verdinglichung der Welt, der Herrschaft von Waren über Menschen, die seit Beginn der Neuzeit sich ausgebreitet, seit der industriellen Revolution zur herrschenden Gewalt des Lebens sich entfaltet hat. Auch Rilkes Dingkult gehört in den Bannkreis solcher Idiosynkrasie als Versuch, noch die fremden Dinge in den subjektivreinen Ausdruck hineinzunehmen und aufzulösen, ihre Fremdheit metaphysisch ihnen gutzuschreiben; und die ästhetische Schwäche dieses Dingkults, der geheimnistuerische Gestus, die Vermischung von Religion und Kunstgewerbe, verrät zugleich die reale Gewalt der Verdinglichung, die von keiner lyrischen Aura mehr sich vergolden, in den Sinn einholen läßt.

Man verleiht solcher Einsicht ins gesellschaftliche Wesen von Lyrik nur eine andere Wendung, wenn man sagt, ihr Begriff, so wie er uns unmittelbar, gewissermaßen zweite Natur ist, sei durchaus moderner Art. Analog hat die Landschaftsmalerei und ihre Idee von »Natur« erst in der Moderne autonom sich entwickelt. Ich weiß, daß ich damit übertreibe, daß Sie mir viele Gegenbeispiele entgegenhalten könnten. Das eindringlichste wäre Sappho. Von der chinesischen, japanischen, arabischen Lyrik rede ich nicht, da ich sie nicht im Original lesen kann und den Verdacht hege, daß sie durch die Übersetzung in einen Anpassungsmechanismus gerät, der angemessenes Verständnis überhaupt unmöglich macht. Aber die Bekundungen des uns vertrauten, im spezifischen Sinn lyrischen Geistes aus älterer Zeit leuchten nur versprengt auf, so wie zuweilen Hintergründe alter Malerei die Idee des Landschaftsbildes ahnungsvoll vorwegnehmen. Sie konstituieren nicht die Form. Die großen Dichter der früheren Vergangenheit, die nach literargeschichtlichen Begriffen der Lyrik zurechnen, Pindar etwa und Alkaios, aber auch das Werk Walthers von der Vogelweide in seinem überwiegenden Teil sind unserer primären Vorstellung von Lyrik unge-

mein fern. Ihnen geht jener Charakter des Unmittelbaren, Entstofflichten ab, den wir zu Recht
oder Unrecht uns gewöhnt haben, als Kriterium
von Lyrik anzusehen, und über den nur die angestrengte Bildung uns hinausführt.

Was wir jedoch mit Lyrik meinen, ehe wir
den Begriff sei's historisch erweitern, sei's kritisch
gegen die individualistische Sphäre wenden, hat,
je »reiner« es sich gibt, das Moment des *Bruches*
in sich. Das Ich, das in Lyrik laut wird, ist eines,
das sich als dem Kollektiv, der Objektivität entgegengesetztes bestimmt und ausdrückt; mit der
Natur, auf die sein Ausdruck sich bezieht, ist es
nicht unvermittelt eins. Es hat sie gleichsam verloren und trachtet, sie durch Beseelung, durch
Versenkung ins Ich selber, wiederherzustellen.
Erst durch Vermenschlichung soll der Natur das
Recht abermals zugebracht werden, das menschliche Naturbeherrschung ihr entzog. Selbst lyrische Gebilde, in die kein Rest des konven-
tionellen und gegenständlichen Daseins, keine
krude Stofflichkeit mehr hineinragt, die höchsten,
die unsere Sprache kennt, verdanken ihre Würde
gerade der Kraft, mit der in ihnen das Ich den
Schein der Natur, zurücktretend von der Entfremdung, erweckt. Ihre reine Subjektivität, das,
was bruchlos und harmonisch an ihnen dünkt,
zeugt vom Gegenteil, vom Leiden am subjekt-
fremden Dasein ebenso wie von der Liebe dazu — ja ihre Harmonie ist eigentlich nichts ande-

res als das Ineinanderstimmen solchen Leidens und solcher Liebe. Noch das »Warte nur, balde / ruhest du auch« hat die Gebärde des Trostes: seine abgründige Schönheit ist nicht zu trennen von dem, was sie verschweigt, der Vorstellung einer Welt, die den Frieden verweigert. Einzig indem der Ton des Gedichtes mit der Trauer darüber mitfühlt, hält er fest, daß doch Friede sei. Fast möchte man das in dem benachbarten Gedicht gleichen Titels stehende »Ach, ich bin des Treibens müde« als Interpretation von *Wanderers Nachtlied* zu Hilfe holen. Freilich, dessen Größe rührt daher, daß es nicht vom Entfremdeten, Störenden redet, daß in ihm selber nicht die Unruhe des Objekts dem Subjekt entgegensteht: vielmehr zittert dessen eigene Unruhe nach. Verheißen wird eine zweite Unmittelbarkeit: das Menschliche, die Sprache selber scheint, als wäre sie noch einmal die Schöpfung, während alles Auswendige im Echo der Seele verklingt. Mehr als Schein aber und zur ganzen Wahrheit wird es, weil, kraft des sprachlichen Ausdrucks der guten Müdigkeit, noch über der Versöhnung der Schatten der Sehnsucht bleibt und selbst der des Todes: dem »Warte nur balde« wird mit dem rätselhaften Lächeln von Trauer das ganze Leben zum kurzen Augenblick vor dem Einschlafen. Der Ton des Friedens bezeugt, daß Frieden nicht gelang, ohne daß doch der Traum zerbräche. Keine Macht hat der Schatten über das Bild des zu sich selbst zurückgekehrten Lebens, aber er verleiht als letzte Erinnerung an dessen Entstelltsein erst dem Traum die schwere Tiefe unter dem schwerelosen Lied. Im Angesicht der ruhenden Natur, von der die Spur des Menschenähnlichen getilgt ist, wird das Subjekt der eigenen Nichtigkeit inne. Unmerklich, lautlos streift Ironie das Tröstende des Gedichts: die Sekunden vor der Seligkeit des Schlafes sind die gleichen, die das kurze Leben vom Tode trennen. Diese erhabene Ironie ist dann nach Goethe zur hämischen herabgesunken. Stets aber war sie bürgerlich: zur Erhöhung des befreiten Subjekts gehört als Schatten dessen Erniedrigung zum Austauschbaren, zum bloßen Sein für anderes hinzu; zur Persönlichkeit das »Was bist du schon?« Seine Authentizität jedoch hat das Nachtlied an seinem Augenblick: der Hintergrund jenes Zerstörenden entrückt es dem Spiel, während das Zerstörende noch keine Gewalt hat über die gewaltlose Macht des Trostes. Man pflegt zu sagen, ein vollkommenes lyrisches Gedicht müsse Totalität oder Universalität besitzen, müsse in seiner Begrenzung das Ganze, in seiner Endlichkeit das Unendliche geben. Soll das mehr sein als ein Gemeinplatz aus jener Ästhetik, die da als Allerweltsmittel den Begriff des Symbolischen zur Hand hat, dann zeigt es an, daß in jedem lyrischen Gedicht das geschichtliche Verhältnis des Subjekts zur Objektivität, des Einzelnen zur Gesellschaft im Medium des subjektiven, auf sich zurückgeworfenen Geistes seinen Niederschlag muß gefunden haben. Er wird um so vollkommener sein, je weniger das Gebilde das Verhältnis von Ich und Gesellschaft thematisch macht, je unwillkürlicher es vielmehr im Gebilde von sich aus sich kristallisiert.

Sie können mir vorwerfen, ich hätte durch diese Bestimmung, aus Angst vorm plumpen Soziologimus, das Verhältnis von Lyrik und Gesellschaft so sublimiert, daß eigentlich nichts davon übrig bleibt; gerade das nicht Gesellschaftliche am lyrischen Gedicht solle nun sein Gesellschaftliches sein. Sie könnten mich an jene Karikatur eines erzreaktionären Abgeordneten von Gustave Doré erinnern, der sein Lob auf das ancien régime steigert zu dem Ausruf: »Und wem, meine Herren, haben wir die Revolution von 1789 zu verdanken, wenn nicht Ludwig XVI.!« Sie könnten das auf meine Auffassung von Lyrik und Gesellschaft anwenden: in ihr spiele die Gesellschaft die Rolle des hingerichteten Königs und die Lyrik die jener, die ihn bekämpften; Lyrik sei aber so wenig aus der Gesellschaft zu erklären wie die Revolution zum Verdienst des Monarchen zu machen, den sie stürzte und ohne dessen Torheiten sie vielleicht zu jenem Zeitpunkt nicht ausgebrochen wäre. Dahin steht, ob der Abgeordnete Dorés wirklich nur ein dumm-zynischer Propagandaredner war, so wie der Zeichner ihn verspottet, und ob nicht an seinem unbeabsichtigten

Witz mehr Wahrheit ist als der gesunde Menschenverstand einräumt; Hegels Geschichtsphilosophie hätte manches zur Rettung jenes Abgeordneten beizutragen. Indessen will der Vergleich doch nicht recht stimmen. Lyrik soll nicht aus der Gesellschaft deduziert werden; ihr gesellschaftlicher Gehalt ist gerade das Spontane, das nicht schon folgt aus jeweils bestehenden Verhältnissen. Aber die Philosophie — wiederum die Hegels — kennt den spekulativen Satz, das Individuelle sei durchs Allgemeine vermittelt und umgekehrt. Das will nun heißen, auch der Widerstand gegen den gesellschaftlichen Druck sei nichts absolut Individuelles, sondern in ihm regten, durchs Individuum und seine Spontaneität hindurch, künstlerisch sich die objektiven Kräfte, welche einen beengten und beengenden gesellschaftlichen Zustand über sich hinaus treiben zu einem menschenwürdigen hin; Kräfte also einer Gesamtverfassung, keineswegs bloß der starren Individualität, die der Gesellschaft blind opponiert. Darf in der Tat der lyrische Gehalt als ein vermöge der eigenen Subjektivität objektiver angesprochen werden — und sonst wäre ja das Einfachste, das die Möglichkeit von Lyrik als einer Kunstgattung stiftet: ihre Wirkung auf andere als den monologisierenden Dichter, nicht zu erklären — dann nur, wenn das sich in sich selbst Zurück-, in sich selbst Hineinnehmen des lyrischen Kunstwerks, seine Entfernung von der gesellschaftlichen Oberfläche, über den Kopf des Autors hinweg gesellschaftlich motiviert ist. Das Medium dafür aber ist die Sprache. Die spezifische Paradoxie des lyrischen Gebildes, die in Objektivität umschlagende Subjektivität, ist gebunden an jenen Vorrang der Sprachgestalt in der Lyrik, von dem der Primat der Sprache in der Dichtung überhaupt, bis zur Form von Prosa, herstammt. Denn die Sprache ist selber ein Doppeltes. Sie bildet durch ihre Konfigurationen den subjektiven Regungen gänzlich sich ein; ja wenig fehlt, und man könnte denken, sie zeitigte sie überhaupt erst. Aber sie bleibt doch wiederum das Medium der Begriffe, das, was die unabdingbare Beziehung auf Allgemeines und die Gesellschaft herstellt. Die höchsten lyrischen Gebilde sind darum die, in denen das Subjekt, ohne Rest von bloßem Stoff, in der Sprache tönt, bis die Sprache selber laut wird. Die Selbstvergessenheit des Subjekts, das der Sprache als einem Objektiven sich anheimgibt, und die Unmittelbarkeit und Unwillkürlichkeit seines Ausdrucks sind dasselbe: so vermittelt die Sprache Lyrik und Gesellschaft im Innersten. Darum zeigt Lyrik dort sich am tiefsten gesellschaftlich verbürgt, wo sie nicht der Gesellschaft nach dem Munde redet, wo sie nichts mitteilt, sondern wo das Subjekt, dem der Ausdruck glückt, zum Einstand mit der Sprache selber kommt, dem, wohin diese von sich aus möchte.

Andererseits aber ist die Sprache auch nicht, wie es manchen der heute geläufigen ontologischen Sprachtheorien gefiele, als Stimme des Seins wider das lyrische Subjekt zu verabsolutieren. Das Subjekt, dessen Ausdrucks, gegenüber der bloßen Signifikation objektiver Inhalte, es bedarf, um jene Schicht der sprachlichen Objektivität zu erlangen, ist keine Zutat zu deren eigenem Gehalt, ist ihr nicht äußerlich. Der Augenblick der Selbstvergessenheit, in dem das Subjekt in der Sprache untertaucht, ist nicht dessen Opfer ans Sein. Er ist keiner der Gewalt, auch nicht der Gewalt gegen das Subjekt, sondern einer von Versöhnung: erst dann redet die Sprache selber, wenn sie nicht länger als ein dem Subjekt Fremdes redet sondern als dessen eigene Stimme. Wo das Ich in der Sprache sich vergißt, ist es doch ganz gegenwärtig; sonst verfiele die Sprache, als geweihtes Abrakadabra, ebenso der Verdinglichung wie in der kommunikativen Rede. Das weist aber zurück auf das reale Verhältnis zwischen Einzelnem und Gesellschaft. Nicht bloß ist der Einzelne in sich gesellschaftlich vermittelt, nicht bloß sind seine Inhalte immer zugleich auch gesellschaftlich. Sondern umgekehrt bildet sich und lebt die Gesellschaft auch nur vermöge der Individuen, deren Inbegriff sie ist. Wenn einmal die große Philosophie die freilich heute von der Wissenschaftslogik verschmähte Wahrheit konstruierte, Subjekt und

Objekt seien überhaupt keine starren und iso-
lierten Pole, sondern könnten nur aus dem Prozeß bestimmt werden, in dem sie sich aneinander
abarbeiten und verändern, dann ist die Lyrik die
ästhetische Probe auf jenes dialektische Philo-
sophem. Im lyrischen Gedicht negiert, durch Identifikation mit der Sprache, das Subjekt ebenso
seinen bloßen monadologischen Widerspruch zur
Gesellschaft, wie sein bloßes Funktionieren in-
nerhalb der vergesellschafteten Gesellschaft. Je
mehr aber deren Übergewicht übers Subjekt an-
wächst, um so prekärer die Situation der Lyrik.
Das Werk Baudelaires hat das als erstes regi-
striert, indem es, höchste Konsequenz des europäischen Weltschmerzes, nicht bei den Leiden
des Einzelnen sich beschied, sondern die Moderne
selbst als das Antilyrische schlechthin zum Vorwurf wählte und kraft der heroisch stilisierten
Sprache daraus den dichterischen Funken schlug.
Schon bei ihm kündet dabei ein Verzweifeltes
sich an, das eben nur auf der Spitze der eigenen
Paradoxie balanciert. Als dann der Widerspruch
der poetischen Sprache zur kommunikativen ins
Extrem sich steigerte, ward alle Lyrik zum
va-banque-Spiel; nicht, wie die banausische Meinung es möchte, weil sie unverständlich geworden
wäre, sondern weil sie vermöge des reinen
zu sich selbst Kommens der Sprache als einer
Kunstsprache, durch die Anstrengung zu deren
absoluter, von keiner Rücksicht auf Mitteilung

geschmälerter Objektivität, zugleich sich entfernt von der Objektivität des Geistes, der lebendigen Sprache, und eine nicht mehr gegenwärtige durch die poetische Veranstaltung surrogiert. Das poetisierende, gehobene, subjektiv gewalttätige Moment schwacher späterer Lyrik ist der Preis, den sie für den Versuch zu zahlen hat, unverschandelt, fleckenlos, objektiv sich am Leben zu erhalten; ihr falscher Glanz das Komplement zur entzauberten Welt, der sie sich entwindet.

All das freilich bedarf der Einschränkung, um nicht mißdeutet zu werden. Es war meine Behauptung, das lyrische Gebilde sei stets auch der subjektive Ausdruck eines gesellschaftlichen Antagonismus. Da aber die objektive Welt, welche Lyrik hervorbringt, an sich die antagonistische ist, so geht der Begriff von Lyrik nicht auf im Ausdruck der Subjektivität, der die Sprache Objektivität schenkt. Nicht bloß verkörpert das lyrische Subjekt, je angemessener es sich kundgibt, um so verbindlicher auch das Ganze. Sondern die dichterische Subjektivität verdankt sich selber dem Privileg: daß es nur den wenigsten Menschen je vom Druck der Lebensnot erlaubt wurde, in Selbstversenkung das Allgemeine zu ergreifen, ja überhaupt als selbständige, des freien Ausdrucks ihrer selbst mächtige Subjekte sich zu entfalten. Die andern jedoch, jene, die nicht nur dem befangenen dichterischen Subjekt fremd gegenüberstehen, als wären sie Objekte, sondern die im buchstäblichsten Verstand zum Objekt der Geschichte erniedrigt wurden, haben das gleiche oder größeres Recht, nach dem Laut zu tasten, in dem Leid und Traum sich vermählen. Dies unveräußerliche Recht ist immer wieder durchgebrochen, wenn auch so unrein, verstümmelt, fragmentarisch, intermittierend, wie es denen nicht anders möglich ist, welche die Last zu tragen haben. Ein kollektiver Unterstrom grundiert alle individuelle Lyrik. Meint diese in der Tat das Ganze und nicht selber bloß ein Stück des Besserhabens, Feinheit und Zartheit dessen, der es sich leisten kann, zart zu sein, dann gehört die Teilhabe an diesem Unterstrom wesentlich zur Substantialität auch der individuellen Lyrik: er wohl macht überhaupt erst die Sprache zu dem Medium, in dem das Subjekt mehr wird als nur Subjekt. Die Beziehung der Romantik zum Volkslied ist dafür nur das sinnfälligste, sicherlich nicht das eindringlichste Beispiel. Denn die Romantik verfolgt programmatisch eine Art Transfusion des Kollektiven ins Inviduelle, kraft deren die individuelle Lyrik eher der Illusion allgemeiner Verbindlichkeit technisch nachhing, als daß ihr jene Verbindlichkeit aus sich selbst heraus zugefallen wäre. Oftmals haben statt dessen Dichter, die jegliche Anleihe bei der Kollektivsprache verschmähten, kraft ihrer geschichtlichen Erfahrung an jenem kollektiven Unterstrom teil. Ich nenne Baudelaire, dessen Lyrik nicht bloß dem juste milieu, sondern auch jedem bürgerlichen sozialen Mitgefühl ins Gesicht schlägt und der doch, in Gedichten wie den *Petites vieilles* oder dem von der Dienerin mit großem Herzen aus den *Tableaux Parisiens*, den Massen, denen er seine tragisch-hochmütige Maske entgegenkehrte, treuer war als alle Armeleutepoesie. Heute, da die Voraussetzung jenes Begriffs von Lyrik, von dem ich ausgehe, der individuelle Ausdruck, in der Krise des Individuums bis ins Innerste erschüttert scheint, drängt an den verschiedensten Stellen der kollektive Unterstrom der Lyrik nach oben, erst als bloßes Ferment des individuellen Ausdrucks selbst, dann aber doch auch vielleicht als Vorwegnahme eines Zustandes, der über bloße Individualität positiv hinausgeht. Wenn die Übersetzungen nicht trügen, dann ist etwa García Lorca, den die Schergen Francos ermordeten und den kein totalitäres Regime hätte ertragen können, Träger solcher Kraft; und der Name Brechts drängt sich auf als der des Lyrikers, dem sprachliche Integrität zuteil ward, ohne daß er den Preis des Esoterischen hätte entrichten müssen. Ich versage es mir, darüber zu urteilen, ob hier in der Tat das dichterische Individuationsprinzip in einem höheren aufgehoben ward, oder ob der Grund Regression, die Schwächung des Ichs ist. Vielfach dürfte die kollektive Gewalt zeitgenössischer Lyrik den sprachlichen und seelischen Rudimenten eines noch nicht ganz individuierten, eines im weitesten Sinn vorbürgerlichen Zustandes — dem Dialekt — sich verdanken. Die traditionelle Lyrik aber, als die strengste ästhetische Negation der Bürgerlichkeit, ist eben damit bis heute an die bürgerliche Gesellschaft gebunden gewesen.

Weil prinzipielle Erwägungen nicht genügen, möchte ich an einigen Gedichten das Verhältnis des dichterischen Subjekts, das allemal für ein weit allgemeineres, kollektives Subjekt einsteht, zu der ihm antithetischen gesellschaftlichen Realität konkretisieren. Dabei werden die stofflichen Elemente, deren kein sprachliches Gebilde, selbst die poésie pure nicht, ganz sich zu entäußern vermag, ebenso der Interpretation bedürfen wie die sogenannten formalen. Besonders wird hervorzuheben sein, wie beide sich durchdringen, denn nur kraft solcher Durchdringung hält eigentlich das lyrische Gedicht in seinen Grenzen den geschichtlichen Stundenschlag fest. Indessen möchte ich nicht solche Gebilde wählen, wie das Goethesche, an dem ich einiges hervorhob, ohne es zu analysieren, sondern Späteres, Verse, denen nicht jene unbedingte Authentizität eignet wie dem *Nachtlied*. Wohl haben die beiden, über die ich etwas sagen will, an dem kollektiven Unterstrom Anteil. Ich möchte aber Ihre Aufmerksamkeit vor allem darauf lenken, wie sich in ihnen verschiedene Stufen eines widerspruchsvollen Grundverhältnisses der Gesellschaft im Medium des poetischen Subjekts darstellen. Wiederholen darf ich, daß es sich nicht um die Privatperson des Dichters, nicht um seine Psychologie, nicht um seinen sogenannten gesellschaftlichen Standpunkt handelt, sondern eben um das Gedicht als geschichtsphilosophische Sonnenuhr.

Zunächst möchte ich Ihnen *Auf einer Wanderung* von Mörike vorlesen:

In ein freundliches Städtchen tret' ich ein,
In den Straßen liegt roter Abendschein.
Aus einem offnen Fenster eben,
Über den reichsten Blumenflor
Hinweg, hört man Goldglockentöne schweben,
Und eine Stimme scheint ein Nachtigallenchor,
Daß die Blüten beben,
Daß die Lüfte leben,
Daß in höherem Rot die Rosen leuchten vor.

Lang' hielt ich staunend, lustbeklommen.
Wie ich hinaus vors Tor gekommen,
Ich weiß es wahrlich selber nicht.
Ach hier, wie liegt die Welt so licht!
Der Himmel wogt in purpurnem Gewühle,
Rückwärts die Stadt in goldnem Rauch;
Wie rauscht der Erlenbach, wie rauscht
Im Grund die Mühle!
Ich bin wie trunken, irrgeführt —
O Muse, du hast mein Herz berührt
Mit einem Liebeshauch!

Auf drängt sich das Bild jenes Glückversprechens, wie es heute noch am rechten Tage von der süddeutschen Kleinstadt dem Gast gewährt wird, aber ohne das leiseste Zugeständnis ans Butzenscheibenhafte, an die Kleinstadtidylle. Das Gedicht gibt das Gefühl der Wärme und Geborgenheit im Engen und ist doch zugleich ein Werk des hohen Stils, nicht von Gemütlichkeit und Behaglichkeit verschandelt, nicht sentimental die Enge gegen die Weite preisend, kein Glück im Winkel. Rudimentäre Fabel und Sprache helfen gleichermaßen, die Utopie der nächsten Nähe und die der äußersten Ferne kunstvoll in eins zu setzen. Die Fabel weiß vom Städtchen einzig als flüchtigem Schauplatz, nicht als von einem des Verweilens. Die Größe des Gefühls, das ans Entzücken über die Mädchenstimme sich schließt, und nicht diese allein, sondern die der ganzen Natur, den Chor vernimmt, offenbart sich erst jenseits des begrenzten Schauplatzes, unter dem offenen purpurn wogenden Himmel, wo goldene Stadt und rauschender Bach zur imago zusammentreten. Dem kommt sprachlich ein unwägbar feines, kaum am Detail fixierbares *antikes,* odenhaftes Element zu Hilfe. Wie von weit her mahnen die freien Rhythmen an griechische reimlose Strophen, etwa auch das ausbrechende und doch nur mit den diskretesten Mitteln der Wortumstellung bewirkte Pathos der Schlußzeile der ersten Strophe: »Daß in höherem Rot die Rosen leuchten vor.« Entscheidend das eine Wort Muse am Ende. Es ist, als glänzte dies Wort, eines der vergriffensten des deutschen Klassizismus, dadurch, daß es dem genius loci des freundlichen Städtchens verliehen wird, noch einmal, wahrhaft wie im Licht der untergehenden Sonne auf und wäre als schon verschwindendes all der Gewalt der Entzückung mächtig, von der sonst der Anruf der Muse mit Worten der neuzeitlichen Sprache komisch hilflos abgleitet. Die Inspiration des Gedichts bewährt sich kaum in einem seiner Züge so vollkommen wie darin, daß die Wahl des anstößigsten Wortes an der kritischen Stelle, behutsam motiviert durch den latent griechischen Sprachgestus, wie ein musikalischer Abgesang die drängende Dynamik des Ganzen einlöst. Der Lyrik gelingt im knappsten Raum, wonach die deutsche Epik selbst in Konzeptionen wie *Hermann und Dorothea* vergebens griff.

Die gesellschaftliche Deutung solchen Gelingens gilt dem geschichtlichen Erfahrungsstand, der in dem Gedicht sich anzeigt. Der deutsche Klassizismus hatte es unternommen, im Namen der Humanität, der Allgemeinheit des Menschlichen, die subjektive Regung der Zufälligkeit zu entheben, die ihr in einer Gesellschaft droht, in der die Beziehungen zwischen den Menschen nicht mehr unmittelbar, sondern bloß noch durch den Markt vermittelt sind. Er hatte die Objektivierung des Subjektiven angestrebt, so wie Hegel in der Philosophie, und versucht, im Geiste, in der Idee die Widersprüche des realen Lebens der Menschen versöhnend zu überwinden. Das Fortbestehen dieser Widersprüche in der Realität jedoch hatte die geistige Lösung kompromittiert: gegenüber dem von keinem Sinn getragenen, in der Geschäftigkeit konkurrierender Interessen sich abquälenden oder, wie es der künstlerischen Erfahrung sich darstellt, prosaischen Leben; gegenüber einer Welt, in der das Schicksal der einzelnen Menschen nach blinden Gesetzen sich vollzieht, wird Kunst, deren Form sich gibt, als rede sie aus der gelungenen Menschheit, zur Phrase. Der Begriff des Menschen, wie der Klassizismus ihn gewonnen hatte, zog darum in die private, einzelmenschliche Existenz und ihre Bilder sich zurück; nur in ihnen noch schien das Humane geborgen. Notwendig ward auf die Idee der Menschheit als ganzer, sich selbst bestimmender, vom Bürgertum wie in der Politik so in den ästhetischen Formen verzichtet. Das sich Verstocken bei der Beschränktheit des je Eigenen, das selber einem Zwang gehorcht, macht dann Ideale wie die des Behaglichen und Gemütlichen so suspekt. Der Sinn selber wird an die Zufälligkeit des individuellen Glücks gebunden; gleichsam usurpatorisch wird ihm eine Würde zugeschrieben, die es erst zusammen mit dem Glück des Ganzen erlangte. Die gesellschaftliche Kraft im Ingenium Mörikes jedoch besteht darin, daß er beide Erfahrungen, die des klassizistischen hohen

Stils und der romantischen privaten Miniatur verband und daß er dabei mit unvergleichlichem Takt der Grenzen beider Möglichkeiten inne ward und sie gegeneinander ausglich. In keiner Regung des Ausdrucks überschreitet er, was zu seinem Augenblick wahrhaft sich füllen ließ. Das vielberufene Organische seiner Produktion ist wohl nichts anderes als jener geschichtsphilosophische Takt, wie ihn kaum ein Dichter deutscher Sprache im selben Maße besaß. Die angeblich krankhaften Züge Mörikes, von denen Psychologen zu berichten wissen, auch das Versiegen seiner Produktion in späteren Jahren sind der negative Aspekt seines zum Extrem gesteigerten Wissens um das, was möglich ist. Die Gedichte des hypochondrischen Cleversulzbacher Pfarrers, den man zu den naiven Künstlern zählt, sind Virtuosenstücke, die kein Meister des l'art pour l'art überbot. Das Hohle und Ideologische des hohen Stils ist ihm so gegenwärtig wie das Mindere, kleinbürgerlich Dumpfe und gegen die Totalität Verblendete des Biedermeiers, in dessen Zeit der größere Teil seiner Lyrik fällt. Es treibt den Geist in ihm, einmal noch Bilder zu bereiten, die weder an den Faltenwurf noch an den Stammtisch sich verraten, weder an die Brusttöne noch ans Schmatzen. Wie auf einem schmalen Grat findet sich in ihm, was eben noch vom hohen Stil, verhallend, als Erinnerung nachlebt, zusammen mit den Zeichen eines unmittelbaren Lebens, die

Gewährung verhießen, als sie selber von der historischen Tendenz eigentlich schon gerichtet waren, und beides grüßt den Dichter, auf einer Wanderung, nur noch im Entschwinden. Er hat schon Anteil an der Paradoxie von Lyrik im heraufkommenden Industriezeitalter. So schwebend und zerbrechlich wie erstmals seine Lösungen, sind dann die der großen nachfolgenden Lyriker allesamt gewesen, auch derer, die durch einen Abgrund von ihm getrennt erscheinen, wie jenes Baudelaire, von dem doch Claudel sagte, sein Stil sei eine Mischung aus dem Racines und dem des Journalisten seiner Zeit. In der industriellen Gesellschaft wird die lyrische Idee der sich wiederherstellenden Unmittelbarkeit, wofern sie nicht ohnmächtig romantisch Vergangenes beschwört, immer mehr zu einem jäh Aufblitzenden, in dem das Mögliche die eigene Unmöglichkeit überfliegt.

Das kurze Gedicht von Stefan George, zu dem ich Ihnen nun noch einiges sagen möchte, entstand in einer viel späteren Phase dieser Entwicklung. Es ist eines der berühmten Lieder aus dem *Siebenten Ring*, aus einem Zyklus aufs äußerste verdichteter, in aller Leichtigkeit des Rhythmus an Gehalt überschwerer Gebilde, aller Jugendstilornamente ledig. Ihre verwegene Kühnheit hat erst die Vertonung durch den großen Komponisten Anton von Webern dem schmählichen Kulturkonservativismus des Kreises entrissen; bei

George klaffen Ideologie und gesellschaftlicher
Gehalt weit auseinander. Das Lied lautet:

> Im windes-weben
> War meine frage
> Nur träumerei
> Nur lächeln war
> Was du gegeben
> Aus nasser nacht
> Ein glanz entfacht —
> Nun drängt der mai
> Nun muß ich gar
> Um dein aug und haar
> Alle tage
> In sehnen leben.

Am hohen Stil ist keine Sekunde Zweifel. Das
Glück der nahen Dinge, das Mörikes soviel älte-
res Gedicht noch streift, verfällt dem Verbot. Es
wird fortgewiesen von eben jenem Nietzschen
Pathos der Distanz, als dessen Nachfahren George
sich wußte. Zwischen Mörike und ihm liegt ab-
schreckend der Abhub der Romantik; die idylli-
schen Reste sind ohne Hoffnung veraltet und zu
Herzenswärmern verkommen. Während Georges
Dichtung, die eines herrischen Einzelnen, die individualistische bürgerliche Gesellschaft und den
für sich seienden Einzelnen als Bedingung ihrer
Möglichkeit voraussetzt, ergeht über das bürgerliche Element der einverstandenen Form nicht
anders als über die bürgerlichen Inhalte ein
Bannfluch. Weil aber diese Lyrik aus keiner anderen Gesamtverfassung als der von ihr nicht nur

a priori und stillschweigend, sondern auch ausdrücklich verworfenen bürgerlichen reden kann, wird sie zurückgestaut: sie fingiert von sich aus, eigenmächtig, einen feudalen Zustand. Das verbirgt sich gesellschaftlich hinter dem, was das Klischee Georges aristokratische Haltung nennt. Sie ist nicht die Pose, über die der Bürger sich empört, der diese Gedichte nicht abtätscheln kann, sondern wird, so gesellschaftsfeindlich sie sich gebärdet, von der gesellschaftlichen Dialektik gezeitigt, die dem lyrischen Subjekt die Identifikation mit dem Bestehenden und seiner Formenwelt verweigert, während es doch bis ins Innerste dem Bestehenden verschworen ist: von keinem anderen Ort aus kann es reden als dem einer vergangenen, selber herrschaftlichen Gesellschaft. Ihm ist das Ideal des Edlen entlehnt, das die Wahl eines jeden Wortes, Bildes, Klanges in dem Gedichte diktiert; und die Form ist, auf eine kaum dingfest zu machende, gleichsam in die sprachliche Konfiguration hineingetragene Weise, mittelalterlich. Insofern ist das Gedicht, wie George insgesamt, in der Tat neuromantisch. Beschworen aber werden nicht Realien und nicht Töne, sondern eine entsunkene Seelenlage. Die artistisch erzwungene Latenz des Ideals, die Abwesenheit jedes groben Archaismus, hebt das Lied über die verzweifelte Fiktion hinaus, die es doch bietet; mit der Wandschmuck-Poesie der Frau Minne und der Aventuren läßt es so wenig sich verwechseln wie mit dem Requisitenschatz von Lyrik aus der modernen Welt; sein Stilisationsprinzip bewahrt das Gedicht vorm Konformismus. Für die organische Versöhnung widerstreitender Elemente ist ihm so wenig Raum gelassen, wie sie in seiner Epoche real mehr sich schlichten ließen: bewältigt werden sie nur durch Selektion, durchs Fortlassen. Wo nahe Dinge, das, was man gemeinhin konkret unmittelbare Erfahrungen nennt, in Georges Lyrik überhaupt noch Einlaß finden, ist er ihnen verstattet einzig um den Preis von Mythologisierung: keine darf bleiben, was sie ist. So wird, in einer der Landschaften des *Siebenten Ringes,* das Kind, das Beeren pflückte, wortlos, wie mit dem Zauberstab, mit magischer Gewalttat, ins Märchenkind verwandelt. Die Harmonie des Liedes ist einem Äußersten an Dissonanz abgezwungen: sie beruht auf dem, was Valéry *refus* nannte, auf einem unerbittlichen sich Versagen alles dessen, woran die lyrische Konvention die Aura der Dinge zu besitzen wähnt. Das Verfahren behält bloß noch Modelle übrig, die reinen Formideen und Schemata des Lyrischen selber, die, indem sie jegliche Zufälligkeit abwerfen, prall vor Ausdruck noch einmal reden. Inmitten des Wilhelminischen Deutschland darf der hohe Stil, dem jene Lyrik polemisch sich entrang, auf keinerlei Tradition sich berufen, am letzten aufs klassizistische Erbe. Er wird gewonnen, nicht, indem er etwas an

100

rhetorischen Figuren und Rhythmen sich vorgibt, sondern indem er asketisch ausspart, was immer die Distanz von der vom Kommerz geschändeten Sprache mindern könnte. Damit das Subjekt wahrhaft hier der Verdinglichung in Einsamkeit widersteht, darf es nicht einmal mehr versuchen, aufs Eigene wie auf sein Eigentum sich zurückzuziehen; es schrecken die Spuren eines Individualismus, der unterdessen selbst schon im Feuilleton dem Markt sich überantwortete, sondern das Subjekt muß aus sich heraustreten, indem es sich verschweigt. Es muß sich gleichsam zum Gefäß machen für die Idee einer reinen Sprache. Ihrer Errettung gelten die großen Gedichte Georges. Gebildet an den romanischen Sprachen, besonders aber an jener Reduktion der Lyrik aufs Einfachste, durch die Verlaine sie ins Instrument fürs Differenzierteste umschuf, hört das Ohr des deutschen Mallarméschülers die eigene Sprache gleichwie eine fremde. Er überwindet ihre Entfremdung, die durch den Gebrauch, indem er sie übersteigert zur Entfremdung einer eigentlich schon nicht mehr gesprochenen, ja einer imaginären, an der ihm aufgeht, was in ihrer Zusammensetzung möglich wäre, doch nie geriet. Die vier Zeilen »Nun muß ich gar / Um dein aug und haar / Alle tage / In sehnen leben«, die ich zu dem Unwiderstehlichsten zähle, was jemals der deutschen Lyrik beschieden war, sind wie ein Zitat, aber nicht aus einem anderen Dichter, sondern aus dem von der Sprache unwiederbringlich Versäumten: sie müßten dem Minnesang gelungen sein, wenn dieser, wenn eine Tradition der deutschen Sprache, fast möchte man sagen, wenn die deutsche Sprache selber gelungen wäre. Aus solchem Geiste wollte dann Borchardt den Dante übertragen. Subtile Ohren haben an dem elliptischen »gar« sich gestoßen, das wohl an Stelle von »ganz und gar« und einigermaßen um des Reimes willen verwandt ist. Man mag solche Kritik ebenso zugestehen, wie daß das Wort, so wie es in den Vers verschlagen ward, überhaupt keinen rechten Sinn gibt. Aber die großen Kunstwerke sind jene, die an ihren fragwürdigsten Stellen Glück haben; so etwa, wie die oberste Musik nicht rein aufgeht in ihrer Konstruktion, sondern mit ein paar überflüssigen Noten oder Takten über diese hinausschießt, verhält es sich auch mit dem »gar«, einem Goetheschen »Bodensatz des Absurden«, mit dem die Sprache der subjektiven Intention entflieht, die das Wort herbeizog; wahrscheinlich ist es überhaupt erst dies »gar«, das mit der Kraft eines déjà vu den Rang des Gedichtes stiftet: durch das seine Sprachmelodie hinausreicht übers bloße Bedeuten. Im Zeitalter ihres Untergangs ergreift George in der Sprache die Idee, die der Gang der Geschichte ihr verweigerte, und fügt Zeilen zusammen, die klingen, nicht als wären sie von ihm, sondern als wären sie von Anbeginn der Zeiten da gewesen und müßten für immer so sein. Die

Donquixoterie dessen aber; die Unmöglichkeit solcher wiederherstellenden Dichtung, die Gefahr des Kunstgewerbes wächst noch dem Gehalt des Gedichts zu: die schimärische Sehnsucht der Sprache nach dem Unmöglichen wird zum Ausdruck der unstillbaren erotischen Sehnsucht des Subjekts, das im anderen seiner selbst sich entledigt. Es bedurfte des Umschlags der ins Maßlose gesteigerten Individualität zur Selbstvernichtung — und was ist der Maximinkult des späten George anderes als die verzweifelt positiv sich auslegende Abdankung von Individualität—, um die Phantasmagorie dessen zu bereiten, wonach die deutsche Sprache in ihren größten Meistern vergebens tastete, das Volkslied. Nur vermöge einer Differenzierung, die so weit gedieh, daß sie die eigene Differenz nicht mehr ertragen kann, nichts mehr, was nicht das von der Schmach der Vereinzelung befreite Allgemeine im Einzelnen wäre, vertritt das lyrische Wort das An-sich-Sein der Sprache wider ihren Dienst im Reich der Zwecke. Damit aber den Gedanken einer freien Menschheit, mag auch die Georgesche Schule ihn mit niedrigem Höhenkultus sich selber verdeckt haben. George hat seine Wahrheit daran, daß seine Lyrik in der Vollendung des Besonderen, in der Sensibilität gegen das Banale ebenso wie schließlich auch gegen das Erlesene, die Mauern der Individualität durchschlägt. Zog ihr Ausdruck sich zusammen in den individuellen, so wie sie ihn ganz mit Substanz und Erfahrung der eigenen Einsamkeit sättigt, dann wird eben diese Rede zur Stimme der Menschen, zwischen denen die Schranke fiel.

Zum Gedächtnis Eichendorffs

Je devine, à travers un murmure
Le contour subtil des voix anciennes
Et dans les lueurs musiciennes,
Amour pâle, une aurore future!
Verlaine

Die Beziehung zur geistigen Vergangenheit in
der falsch auferstandenen Kultur ist vergiftet.
Der Liebe zum Vergangenen gesellt vielfach sich
die Ranküne gegen das Gegenwärtige; der Glaube
an einen Besitz, den man doch verliert, sobald
man ihn unverlierbar wähnt; das Wohlgefühl im
vertraut Überkommenen, in dessen Zeichen gern
jene dem Grauen entfliehen, deren Einverständ-
nis es bereiten half. Die Alternative zu alldem
scheint schneidend: der Gestus »Das geht nicht
mehr«. Allergie gegen das falsche Glück der Geborgenheit bemächtigt eifernd sich auch des
Traumes vom wahren, und die gesteigerte Empfindlichkeit gegen Sentimentalität zieht sich auf
den abstrakten Punkt des bloßen Jetzt zusammen, vor dem das Einst so viel gilt, als wäre es nie
gewesen. Erfahrung wäre die Einheit von Tradition und offener Sehnsucht nach dem Fremden.
Aber ihre Möglichkeit selber ist gefährdet. Der
Bruch in der Kontinuität historischen Bewußt-

seins, den Hermann Heimpel erkannte, bewirkt eine Polarisierung in antiquarische, wo nicht zu ideologischen Zwecken zurechtgestutzte Kulturgüter, und in eine Aktualität, die, gerade weil es ihr an Erinnerung gebricht, auf dem Sprung steht, dem bloß Bestehenden auch dort spiegelnd sich zu verschreiben, wo sie ihm opponiert. Der Rhythmus von Zeit ist verstört. Während die philosophischen Gassen von Zeitmetaphysik widerhallen, ist Zeit den Menschen, einst gemessen am beständigen Ablauf ihres Lebens, selber entfremdet; darum wohl wird sie so krampfhaft beredet. Das wahrhaft tradierte Vergangene wäre in seinem Gegenteil, in der fortgeschrittensten Gestalt des Bewußtseins aufgehoben; fortgeschrittenes Bewußtsein aber, das seiner selbst mächtig wäre und nicht fürchten müßte, von der nächsten Information dementiert zu werden, hätte darum auch die Freiheit, Vergangenes zu lieben. Große avantgardistische Künstler wie Schönberg mußten nicht sich selber durch die Wut auf Vorfahren bestätigen, daß sie deren Bann entrannen. Entronnene und Befreite, durften sie die Tradition als ihresgleichen wahrnehmen, anstatt auf einem Unterschied zu insistieren, der mit dem Gebot des radikalen, gleichsam naturhaften Neubeginns nur die Geschichtshörigkeit übertönt. Sie wußten sich als Vollstrecker des geheimen Willens jener Tradition, die sie zerbrachen. Nur wo sie nicht mehr durchbrochen wird, weil man sie nicht mehr spürt und darum auch nicht die eigene Kraft an ihr erprobt, verleugnet man sie; was anders ist, scheut nicht die Wahlverwandtschaft mit dem, wovon es abstößt. Gegenwärtig wäre nicht das zeitlose Jetzt sondern eines, das gesättigt ist mit der Kraft des Gestern und es darum nicht zu vergötzen braucht. An dem avancierten Bewußtsein wäre es, das Verhältnis zum Vergangenen zu korrigieren, nicht indem der Bruch beschönigt wird, sondern indem man dem Vergänglichen am Vergangenen das Gegenwärtige abzwingt und keine Tradition unterstellt. Sie gilt so wenig mehr wie umgekehrt der Glaube, die Lebenden hätten Recht gegen die Toten, oder die Welt finge mit ihnen an.

Spröde widerstrebt Joseph von Eichendorff solcher Bemühung. Die ihn preisen, sind vorab Kulturkonservative. Manche rufen ihn als Kronzeugen einer positiven Religiosität an, wie er sie, zumal in den literarhistorischen Arbeiten seiner Spätzeit, schroff dogmatisch behauptete. Andere beschlagnahmen ihn in landsmannschaftlichem Geiste, einer Art Stammespoetik Nadlerschen Schlages. Sie möchten ihn gewissermaßen rücksiedeln, ihr »er war unser« soll patriotischen Ansprüchen zugute kommen, mit deren jüngster Gestalt sein restaurativer Universalismus doch wohl wenig gemein hat. Solchen Anhängern gegenüber ist dann der zeitgemäße Hinweis aufs Unzeitgemäße an Eichendorff nur allzu einleuchtend. Deutlich erinnere ich mich aus meiner Gymnasialzeit daran, wie ein Lehrer, der auf mich bedeutenden Einfluß ausübte, mich bei den Zeilen »Es war, als hätt' der Himmel / Die Erde still geküßt«, die mir so selbstverständlich waren wie Schumanns Komposition, auf die Trivialität des Bildes aufmerksam machte. Ich war unfähig, der Kritik zu begegnen, ohne daß sie mich doch recht überzeugt hätte, wie denn Eichendorff allen Einwänden preisgegeben ist. Aber dennoch gefeit gegen jeglichen. Was, nach Brahmsens Wort, jeder Esel hört, prallt ab von der Qualität der Eichendorffschen Gedichte. Wird sie indessen zum Geheimnis erklärt, das man zu respektieren habe, so verbirgt hinter solchem demütigen Irrationalismus sich die Trägheit, die angestrengte Passivität aufzubringen, welche das Gedicht erheischt; am Ende auch die Bereitschaft, das einmal Approbierte weiter zu bewundern und sich zu bescheiden mit der vagen Überzeugung, daß irgend etwas daran mehr sei als in Anthologien oder Klassikerausgaben aufgebahrte Lyrik. Zu einer Stunde aber, zu der keine künstlerische Erfahrung mehr fraglos vorgegeben ist; zu einer Stunde, da in unserer Kindheit keine Autorität von Lesebüchern uns die Schönheit zueignet, die wir verstehen, weil wir sie noch nicht verstehen, fordert jegliche Anschauung des Schönen, daß wir den Grund wissen, warum es schön genannt wird. Selbstgerecht und unwahr bleibt die Naivetät, die davon sich dispensiert; der Gehalt des Kunstwerks, der Geist ist, hat den Geist nicht zu fürchten, der sucht, ihn zu begreifen, sondern sucht ihn selber.

Eichendorff erkennend vor Freunden und Feinden retten, ist das Gegenteil sturer Apologie. Das Element seiner Gedichte, das dem Männergesangverein überantwortet ward, ist nicht immun gegen sein Schicksal und hat es vielfach herbeigezogen. Ein Ton des Affirmativen, der Verherrlichung des Daseins schlechthin bei ihm hat geradewegs in jene Lesebücher geführt. Die apokryphe Unsterblichkeit freilich, die er dort fand, steht zu verachten nicht an. Wer nicht als Kind »Wem Gott will rechte Gunst erweisen, / Den schickt er in die weite Welt« auswendig lernte, kennt nicht eine Schicht der Erhebung des Wortes über den Alltag, die kennen muß, wer sie sublimieren, wer den Riß zwischen der menschlichen Bestimmung und dem ausdrücken will, was die Einrichtung der Welt aus ihm macht. So sind auch Schuberts Müllerlieder nur dem ganz nah, der zuvor einmal die Vulgärkomposition von »Das Wandern ist des Müllers Lust« im Schulchor mitgesungen hat. Manche Verse von Eichendorff, »Am liebsten betracht' ich die Sterne, / Die schienen, wenn ich ging zu ihr«, klingen wie Zitate beim ersten Mal, memoriert nach dem Lesebuch Gottes.

Darum jedoch muß man die allzu ungebrochenen Töne nicht verteidigen, mit denen Eichendorff lobt und dankt. In den Generationen, die seit seinen Tagen vergingen, ist das Ideologische am weltfrohen und geselligen Eichendorff hervorgetreten, um in der Prosa manchmal Lächeln zu provozieren. Aber selbst um diese Schicht ist es bei ihm nicht ganz einfach bestellt. Ein goethisch angestimmtes geselliges Lied enthält die Zeilen:

> Das Trinken ist gescheiter,
> Das schmeckt schon nach Idee,
> Da braucht man keine Leiter,
> Das geht gleich in die Höh'.

Nicht bloß streift die studentenhaft saloppe Nennung des Wortes Idee die große Philosophie, deren Zeitalter Eichendorff angehört, sondern es wird eine über jenes Zeitalter weit hinausgreifende Vergeistigung des Sinnlichen innerviert, wie sie nichts mit verspäteter Anakreontik gemein hat und erst in den tödlichen Weingedichten Baudelaires zu sich selber kam: so flüchtig und ephemer ist von nun an die Idee, das Absolute, wie der Duft des Weines. Wohl geziemt es nicht, nach einer verbreiteten literarhistorischen Manier, Eichendorffs affirmativen Ton als dem Dunklen entrungen zu rechtfertigen, von dem jene Gedichte und Prosasätze wenig bezeugen. Aber fraglos sind sie doch verwandt mit dem europäischen Weltschmerz. Ihm antwortet Eichendorffs gekaufter Mut, jener Entschluß zur Munterkeit, wie er mit befremdend paradoxer

Gewalt am Ende eines der größten seiner Gedichte, dem vom Zwielicht, sich bekundet: »Hüte dich, sei wach und munter«. Was bei Schumann einmal »im fröhlichen Ton« heißt, gleicht bei diesem wie bei Eichendorff schon dem Rilkeschen »Als ob wir noch Fröhlichkeit hätten«:

> Hinaus, o Mensch, weit in die Welt
> Bangt dir das Herz in krankem Mut;
> Nichts ist so trüb in Nacht gestellt,
> Der Morgen leicht macht's wieder gut.

Die Ohnmacht solcher Strophen ist nicht die des beschränkten Glücks, sondern der vergeblichen Beschwörung, und der Ausdruck ihrer Vergeblichkeit, mit dem wohl skeptisch Wienerischen »leicht« für »vielleicht«, ist zugleich die Kraft, die mit ihnen versöhnt. Kinderangst will der Schluß des *Zwielichts* übertäuben, aber: »Manches bleibt in Nacht verloren«. Der späte Eichendorff hat die verfrühte Dankbarkeit des jungen so nach Hause gebracht, daß sie des eigenen Truges inne wird und die eigene Wahrheit doch festhält:

> Mein Gott, dir sag' ich Dank,
> Daß du die Jugend mir bis über alle Wipfel
> In Morgenrot getaucht und Klang,
> Und auf des Lebens Gipfel,
> Bevor der Tag geendet,
> Vom Herzen unbewacht
> Den falschen Glanz gewendet,
> Daß ich nicht taumle ruhmgeblendet,
> Da nun herein die Nacht
> Dunkelt in ernster Pracht.

So unwiederbringlich heute das Befriedete selbst dieser Verse dahin ist, so strahlend leuchtet es, und längst nicht mehr bloß der Todesnacht des Einzelnen. Eichendorff verherrlicht was ist und meint doch nicht das Seiende. Er war kein Dichter der Heimat sondern der des Heimwehs, im Sinne des Novalis, dem er nahe sich wußte. Selbst in jenem »Es war als hätt' der Himmel«, das er unter die Geistlichen Gedichte einreihte und das klingt, als wäre es mit dem Bogenstrich gespielt, trägt das Gefühl der absoluten Heimat nur darum, weil es nicht unmittelbar die beseligte Natur meint, sondern mit einem Akzent unfehlbaren metaphysischen Takts bloß gleichnishaft ausgesprochen wird:

> Und meine Seele spannte
> Weit ihre Flügel aus,
> Flog durch die stillen Lande,
> Als flöge sie nach Haus.

Anderswo schreckt die Katholizität des Dichters nicht zurück vor der wie immer auch trauernden Zeile: »Das Reich des Glaubens ist geendet.«

Gleichwohl ist Eichendorffs Positivität seinem Konservativismus verschwistert, sein Lob dessen, was ist, der Idee des Bewahrenden. Aber wenn irgendwo, dann hat in der Dichtung der Stellenwert des Konservativismus zum äußersten sich verändert. Hilft er heute, nach dem Zerfall der Tradition, als willkürliches Lob von Bindungen, bloß zur Rechtfertigung eines schlechten Bestehenden, so wollte er einmal auch ein sehr anderes, das erst an seinem Gegensatz, der hereinbrechenden Barbarei, ganz sich wägen läßt. Wieviel an Eichendorff aus der Perspektive des depossedierten Feudalen stammt, ist so offenbar, daß gesellschaftliche Kritik daran albern wäre; in seinem Sinne aber lag nicht nur die Restauration der entsunkenen Ordnung, sondern auch der Widerstand gegen die destruktive Tendenz des Bürgerlichen selber. Seine Überlegenheit über alle Reaktionäre, die heute die Hand nach ihm ausstrecken, bewährt sich daran, daß er, wie die große Philosophie seiner Epoche, die Notwendigkeit der Revolution begriff, vor der ihn schauderte: er verkörpert etwas von der kritischen Wahrheit des Bewußtseins derer, die den Preis für den fortschreitenden Gang des Weltgeistes zu entrichten haben. Seine Schrift über den Adel und die Revolution enthält gewiß viel Beschränktes, und seine Vorbehalte gegen den eigenen Stand sind nicht frei von puritanischen Klagen über dessen »Seuche der Glanz- und Genußsucht«, die freilich von ihm zusammengebracht werden mit der unter den Feudalen sich ausbreitenden kapitalistischen Gesinnung, mit ihrer Neigung, den Grundbesitz »in ihrer beständigen Geldnot durch verzweifelte Güterspekulationen zur gemeinen Ware« zu machen. Aber er hat nicht nur von den »bramarbasierenden Haudegen des Siebenjährigen Krieges« gesprochen, »die mit einer unnachahmlich lächerlichen Manneswürde von einer gewissen Biderbigkeit Profession machten«, sondern auch den deutschen Nationalisten der Napoleonischen Ära den »Terrorismus einer groben Vaterländerei« vorgeworfen. Teilt er, mit einem Einschlag von Sozialkritik, die der Rechten seiner Zeit geläufigen Argumente gegen kosmopolitische Nivellierung, so hat der Feudale doch keineswegs mit den Jahn und Fries sich gemein gemacht. Überraschend sein Organ für die revolutionären und auflösenden Sympathien der Aristokratie; er hat sie bejaht: »Es brütete . . . eine unheimliche Gewitterluft über dem ganzen Lande, jeder fühlte, daß irgendetwas Großes im Anzuge sei, ein unausgesprochenes, banges Erwarten, man wußte nicht von was, hatte mehr oder minder alle Gemüter beschlichen. In dieser Schwüle erschienen, wie immer vor nahenden Katastrophen, seltsame Gestalten und unerhörte Abenteurer, wie der Graf St. Germain, Cagliostro u. a., gleichsam als Emissäre der Zukunft.« Und er fand Sätze über Figuren wie den Baron Grimm und den radikalen Emigranten Grafen Schlabrendorf, die mit dem Klischee vom Konservativen so wenig zusammenstimmen wie jene Partien der Hegelschen Rechtsphilosophie, die von den über sich hinaustreibenden Kräften der bürgerlichen Gesellschaft handeln. Die Sätze lauten: »Aus diesen Sonderbündlern sind später, als die Revolution zur Tat geworden, einige höchst denkwürdige Charaktere hervorgegangen. So der rastlos unruhige Freiheitsfanatiker Baron Grimm, unablässig wie der Sturmwind die Flammen schürend und wendend, bis sie über ihm zusammenschlugen und ihn selber verzehrten. So auch der berühmte Pariser Einsiedler Graf Schlabrendorf, der in seiner Klause die ganze soziale Umwälzung wie eine große Welttragödie unangefochten, betrachtend, richtend und häufig lenkend, an sich vorübergehen ließ. Denn er stand so hoch über allen Parteien, daß er Sinn und Gang der Geisterschlacht jederzeit klar überschauen konnte, ohne von ihrem wirren Lärm erreicht zu werden. Dieser prophetische Magier trat noch jugendlich vor die große Bühne, und als kaum die Katastrophe abgelaufen, war ihm der greise Bart bis an den Gürtel gewachsen.« Wohl ist die Sympathie mit der Revolution hier bereits zu gebildet zuschauender Humanität neutralisiert, aber noch diese erhebt sich gebietend über den heutigen Kult des Heilen, Organischen und Ganzheitlichen: Eichendorffs Bewahrendes ist weit genug, sein eigenes Gegenteil mitzuumfassen. Seine Freiheit zur Einsicht in das Unwiderrufliche des geschichtlichen Prozesses ist dem Konservativismus der spätbürgerlichen Phase gänzlich abhanden gekommen; je weniger die vorkapitalistischen Ordnungen mehr sich wiederherstellen lassen, desto verbissener klammert sich die Ideologie an deren angeblich geschichtloses, absolut verbürgtes Wesen.

Das vorbürgerliche Ferment im Eichendorffschen Konservativismus, das über die Bürgerlichkeit selber die Unruhe von Sehnsucht, Ausbruch und seliger Nutzlosigkeit bringt, reicht aber tief hinein bis in seine Lyrik. In Benjamins Einbahnstraße heißt es: »Der Mann . . ., der sich in Einklang mit den ältesten Überlieferungen seines Standes oder seines Volkes weiß, stellt gelegentlich sein Privatleben ostentativ in Gegensatz zu den Maximen, die er im öffentlichen Leben unnachsichtig vertritt, und würdigt ohne leiseste Beklemmung des Gewissens sein eigenes Verhalten insgeheim als bündigsten Beweis unerschütterlicher Autorität der von ihm affichierten Grundsätze.«[1] Das könnte zwar nicht auf Eichendorffs Privatleben, wohl aber auf seinen dichterischen Habitus gemünzt sein. Hinzuzufügen wäre die Frage, ob nicht eben solche Unzuverlässigkeit, neben dem Gesichertsein selbst, auch das Korrektiv an der Sicherheit, die Transzendenz zu einer bürgerlichen Gesellschaft ausdrücke, in der der Konservative nicht ganz domestiziert ist und zu deren Gegnern ihn etwas hinzieht. Sie werden bei Eichendorff von den Vaganten vertreten, den Heimatlosen von einst als Boten an die Zukunft derer, die, wie es bei Novalis die Philosophie

[1] Walter Benjamin, *Schriften I*, Berlin und Frankfurt am Main 1955, S. 523 f.

will, überall zuhause sind. Nach dem Lob der
Familie als der Keimzelle der Gesellschaft wird
man bei ihm vergebens suchen. Enden einige
Novellen — nicht der große Jugendroman *Ahnung und Gegenwart* — konventionell mit der
Ehe des Helden, so bekennt sich in der Lyrik der
Dichter als der, welcher keine Bleibe hat, mit un-
mißverständlichem Spott gegen das Gebunden-
sein. Das Motiv kommt aus dem Volkslied, aber
die Insistenz, mit der Eichendorff es wiederholt,
sagt etwas über ihn selber. Der Soldat singt:
»Und spricht sie vom Freien: / So schwing ich
mich auf mein Roß — / Ich bleibe im Freien, /
Und sie auf dem Schloß.« Und der wandernde
Musikant: »Manche Schöne macht wohl Augen, /
Meinet, ich gefiel' ihr sehr, / Wenn ich nur was
wollte taugen, / So ein armer Lump nicht wär. — /
Mag dir Gott ein'n Mann bescheren, / Wohl mit
Haus und Hof versehn! / Wenn wir zwei zusammen wären, / Möcht mein Singen mir vergehn.«
Noch das berühmte Gedicht von den zwei Gesellen würde verfehlen, wer dächte, die Strophe
vom ersten, der ein Liebchen fand, dem die
Schwieger Haus und Hof kaufte und der behaglich
seine Familie gründet, entwerfe das Bild richtigen Lebens. Die Schlußstrophe mit dem jähen
Weinen »Und seh ich so kecke Gesellen« gilt
dem mittleren Glück des ersten nicht weniger
als dem verlorenen zweiten; das richtige Leben
ist zugehängt, vielleicht schon unmöglich, und in

der letzten Zeile: »Ach Gott, führ uns liebreich zu dir!« sprengt niederbrechende Verzweiflung hilflos das Gedicht.

Ihr Gegenteil ist die Utopie: »Es redet trunken die Ferne / Wie von künftigem, großem Glück!« — und nicht vom vergangenen: so unzuverlässig war Eichendorffs Konservativismus. Es ist aber eine schweifend erotische. Wie die Helden seiner Prosa schwanken zwischen Frauenbildern, die ineinanderspielen, niemals gegeneinander konturiert sind, so zeigt Eichendorffs Lyrik kaum ans konkrete Bild einer Geliebten sich gebunden: eine jegliche bestimmte Schöne wäre schon Verrat an der Idee schrankenloser Erfüllung. Selbst in »Überm Garten durch die Lüfte«, einem der passioniertesten Liebesgedichte der deutschen Sprache, erscheint weder sie selber noch redet der Dichter von sich. Laut wird einzig der Jubel: »Sie ist Deine, sie ist dein!« Über Namen und Erfüllung ist ein Bilderverbot ergangen. Der älteren Tradition der deutschen Dichtung war im Gegensatz zur französischen die unverhüllte Darstellung des Sexus fremd, und sie hat auf ihrem mittleren Niveau mit Prüderie und idealischem Philistertum bitter dafür zu büßen gehabt. In ihren größten Repräsentanten aber ist ihr das Verschweigen zum Segen angeschlagen, die Kraft des Ungesagten ins Wort gedrungen und hat ihm seine Süße geschenkt. Noch das Unsinnliche und Abstrakte ward bei Eichendorff zum Gleichnis für ein Gestaltloses: archaisches Erbe, früher als die Gestalt und zugleich späte Transzendenz, das Unbedingte über die Gestalt hinaus. Das sinnlichste Gedicht aus seiner Hand hält sich im nächtlich Unsichtbaren:

> Über Wipfel und Saaten
> In den Glanz hinein —
> Wer mag sie erraten?
> Wer holte sie ein?
> Gedanken sich wiegen,
> Die Nacht ist verschwiegen,
> Gedanken sind frei.
>
> Errät es nur eine,
> Wer an sie gedacht,
> Beim Rauschen der Haine,
> Wenn niemand mehr wacht,
> Als die Wolken, die fliegen —
> Mein Lieb ist verschwiegen
> Und schön wie die Nacht.

Der noch Zeitgenosse Schellings war, tastet nach den *Fleurs du mal*, der Zeile: »O toi que la nuit rend si belle«. Eichendorffs entfesselte Romantik führt bewußtlos zur Schwelle der Moderne.

Die Erfahrung des modernen Elements in Eichendorff, das heute wohl erst offen liegt, führt am ehesten ins Zentrum des dichterischen Gehalts. Es ist wahrhaft antikonservativ: Absage ans Herrschaftliche, an die Herrschaft zumal des eigenen Ichs über die Seele. Eichendorffs Dichtung läßt sich vertrauend treiben vom Strom der

Sprache und ohne Angst, in ihm zu versinken. Für solche Generosität, die nicht haushält mit sich selber, dankt ihm der Genius der Sprache. Die Zeile: »Und ich mag mich nicht bewahren!«, die in einem seiner Gedichte vorkommt, das er selber an den Anfang von deren Ausgabe setzte, präludiert in der Tat sein gesamtes œuvre. Hier zuinnerst ist er Schumanns Wahlverwandter, gewährend und vornehm genug, noch das eigene Daseinsrecht zu verschmähen: so verströmt die Ekstase des dritten Satzes von Schumanns Klavierphantasie ins Meer. Todverfallen ist diese Liebe und selbstvergessen. In ihr verhärtet das Ich nicht länger sich in sich selber. Es möchte etwas gutmachen von dem uralten Unrecht, Ich überhaupt zu sein. Eichendorff ist schon ein bâteau ivre, aber eines noch auf dem Fluß zwischen grünen Ufern und mit bunten Wimpeln. »Nacht, Wolken, wohin sie gehen, / Ich weiß es recht gut«, heißt es aufgelöst expressionistisch in den gleichwohl dem Volkslied nachgebildeten *Nachtigallen:* diese Konstellation ist der ganze Eichendorff. Der wandernde Musikant sagt: »In der Nacht dann Liebchen lauschte / An dem Fenster süß verwacht«, ein Bild der Traumbefangenen mit wirrem Haar, von keiner exakten Vorstellung mehr einzuholen, aber, durch die Synkopierung des Ausdrucks, der die Süße des Mädchens und die Übernächtigkeit ineinanderfügt, magischer als jegliche Beschreibung; im

selben Geist wird sie anderswo »ein süßver-
träumtes Kind« genannt. Zuweilen sind bei Eichendorff Worte hingelallt, aller Kontrolle bar,
und die bis zum Extrem gediehene Lockerung
nähert sie dem immer schon Gewesenen: »Lied,
mit Tränen halb geschrieben«.

Wie wenig ein Begriff von Kultur taugt, welcher die Künste abschneidend auf einen Nen-
ner bringt, bezeugt die deutsche Dichtung, die,
seit Lessing Shakespeare gegen den Klassizismus
wandte, im äußersten Gegensatz zur großen Musik und Philosophie, nicht Integration, System,
subjektiv gestiftete Einheit des Mannigfaltigen
wollte, sondern Ausatmen und Dissoziation. An
diesem deutschen Unterstrom, wie er vom Sturm
und Drang und vom jungen Goethe über Büchner
und manches von Hauptmann bis zu Wedekind,
dem Expressionismus und Brecht treibt, hat Eichendorff insgeheim Anteil. Seine Lyrik ist gar
nicht »subjektivistisch«, so, wie man von der
Romantik es sich vorzustellen pflegt: sie erhebt,
als Preisgabe an die Impulse der Sprache, stum-
men Einspruch gegen das dichterische Subjekt.
Auf kaum einen paßt das bequeme Schema vom
Erlebnis und der Dichtung schlechter als auf ihn.
Das Wort »wirr«, eines seiner liebsten, ist völlig
anderen Sinnes als das »dumpf« des jungen
Goethe: es meldet die Suspension des Ichs, seine
Preisgabe an ein chaotisch Andrängendes an, wäh-
rend die Goethesche Dumpfheit stets den seiner

121

selbst gewissen Geist meint, der sich erst bildet. Ein Eichendorffsches Gedicht beginnt: »Ich hör die Bächlein rauschen / Im Walde her und hin, / Im Walde in dem Rauschen / Ich weiß nicht, wo ich bin«: so weiß diese Lyrik überhaupt nie, wo ich bin, weil das Ich sich vergeudet an das, wovon es flüstert. Genial falsch ist die Metapher von den Bächlein, die »her und hin« rauschen, denn die Bewegung der Bäche ist einsinnig, aber das Her und Hin gibt das Verstörte dessen wieder, was die Laute dem Ich sagen, das lauscht, anstatt sie zu lokalisieren; auch ein Stück Impressionismus wird in solchen Wendungen antizipiert. An eine äußerste Grenze gelangen jene Verse *Zwielicht*, die Thomas Mann besonders liebte. In der Jagdszene aus *Ahnung und Gegenwart*, in die sie eingeflochten sind, wahren sie, mit Eifersucht motiviert, eine gewisse Oberflächen-Verständlichkeit. Aber sie reicht nicht weit. Die Zeile: »Wolken ziehn wie schwere Träume« gewinnt der Lyrik die spezifische Art des Meinens im deutschen Wort Wolken, zum Unterschied etwa von nuage: das Wort Wolken und was es begleitet zieht in diesem Vers dahin wie schwere Träume, gar nicht erst die Gebilde, die es bedeutet. Vollends in der Fortsetzung bezeugt das Gedicht, isoliert vom Roman, die Selbstentfremdung des Ichs, das sich seiner entäußert hat, bis zum Wahnsinn der schizoiden Mahnung: »Hast ein Reh du lieb vor andern, / Laß es nicht alleine grasen«, und der Verfolgungsphantasie des Abgeschiedenen, die ihm den Freund in den Feind verhext.

Eichendorffs Selbstentäußerung hat nichts gemein mit jener Kraft gegenständlicher Anschauung, jener Fähigkeit zur Konkretion, die das convenu dem dichterischen Vermögen gleichsetzt. Sein lyrisches Werk neigt zum Abstrakten nicht bloß in der imago der Liebe. Kaum je gehorcht es den Kriterien sinnlich-dichter Erfahrung von der Welt, die man von Goethe, Stifter, auch Mörike abgezogen hat. Es weckt damit Zweifel am unbedingten Recht jener Kriterien selbst als an einer Reaktionsbildung, dem Versuch, für das zu kompensieren, was die idealistische Philosophie gerade dem deutschen Geist entzog. In den Märchen der Grimmschen Sammlung wird kein Wald je beschrieben oder auch nur charakterisiert; und welcher Wald wäre doch so sehr einer wie der aus den Märchen. Mit Recht hat Wolfdietrich Rasch auf die Seltenheit von Zeilen »erhöhter Anschaulichkeit, mit besonderen optischen Reizen« bei Eichendorff aufmerksam gemacht wie »Schon funkelt das Feld wie geschliffen«. Nur ist es nicht mit der rhetorischen Frage getan, ob es überhaupt nötig sei zu zeigen, worin das Faszinierende seiner Verse beruhe. Denn er erreicht die außerordentlichsten Wirkungen mit einem Bilderschatz, der bereits zu seiner Zeit abgebraucht gewesen sein muß. Von jenem Schloß, an dem Eichendorffs Sehnsucht haftete, ist nicht anders die Rede als eben nur von dem Schloß; der obligate Vorrat von Mondschein, Waldhörnern, Nachtigallen, Mandolinen wird aufgeboten, ohne daß doch die Requisiten der Eichendorffschen Dichtung viel zuleide täten. Dazu trägt bei, daß er an den Bruchstücken der lingua mortua als erster wohl Ausdruckskraft entdeckt. Er hat die lyrischen Valeurs von Fremdwörtern entbunden. In dem utopischen Gedicht »Schöne Fremde« folgt unmittelbar auf das »Wirr wie in Träumen« die »phantastische Nacht«, und das Abstraktum phantastisch, uralt und unberührt in eins, ruft alles Gefühl der Nacht auf, das ein genaueres Epitheton zerschnitte. Erweckt jedoch werden die Requisiten nicht durch solche Funde, auch nicht durch neue Anschauung, sondern durch die Konstellation, in die sie treten. Totes erwecken will Eichendorffs Lyrik insgesamt, so wie der einer Schonfrist bedürftige Spruch am Ende des *Sängerleben* überschriebenen Abschnitts postuliert: »Schläft ein Lied in allen Dingen, / Die da träumen fort und fort, / Und die Welt hebt an zu singen, / Triffst du nur das Zauberwort.« Dies Wort, dem die wohl von Novalis inspirierten Verse nachhängen, ist kein geringeres als die Sprache selbst. Ob die Welt singt, darüber entscheidet, daß der Dichter ins Schwarze, ins Sprachdunkle, trifft, als in ein zugleich an sich schon Seiendes. Das ist der Antisubjektivismus des Romantikers Eichendorff. Vorab wird man dabei, bei dem Dichter des Heimwehs, in dem viel ungebrochener Barock gegenwärtig war, an Allegorie gemahnt. Den Vollzug seiner allegorischen Intention halten zwei Strophen fast protokollarisch fest:

> Es zog eine Hochzeit den Berg entlang,
> Ich hörte die Vögel schlagen,
> Da blitzten viel Reiter, das Waldhorn klang,
> Das war ein lustiges Jagen!
> Und eh' ich's gedacht, war alles verhallt,
> Die Nacht bedeckte die Runde,
> Nur von den Bergen noch rauschet der Wald,
> Und mich schauert im Herzensgrunde.

In der Vision der sogleich verschwindenden Hochzeit zielt Eichendorffs ganz unausgesprochene und darum um so nachdrücklichere Allegorie ins Zentrum des allegorischen Wesens selber, die Vergänglichkeit; der Schauer, der ihn vor dem Ephemeren des Festes ergreift, das doch Dauer meint, verwandelt die Hochzeit zurück in eine Geisterhochzeit; läßt das Jähe des Lebens selber zum Gespenstischen erstarren. Stand am Anfang der deutschen Romantik die spekulative Identitätsphilosophie, in der das Gegenständliche Geist ist und der Geist Natur, dann verleiht Eichendorff den bereits verdinglichten Dingen im Einstand noch einmal die Kraft des Bedeutens, des über sich Hinausweisenden. Dieser Augenblick des Aufblitzens einer gleichsam noch in sich erzitternden Dingwelt erklärt wohl in einigem

Maß das Unverwelkliche am Welken bei Eichendorff. »Aus der Heimat hinter den Blitzen rot«, hebt ein Gedicht an, als wäre das Wetterleuchten ein geronnenes, Trauer verkündendes Stück der Landschaft, wo Vater und Mutter lange tot sind. So gleichen zuweilen die hellen Sonnenränder zwischen Gewitterwolken Blitzen, die aus ihnen zünden könnten. Keines der Eichendorffschen Bilder ist nur das, was es ist, und keines läßt sich doch auf seinen Begriff bringen: dies Schwebende allegorischer Momente ist sein dichterisches Medium.

Freilich erst das Medium. In seiner Dichtung sind die Bilder wahrhaft nur Elemente, überantwortet dem Untergang im Gedicht selber. Der vergessene deutsche Ästhetiker Theodor Meyer hat in dem Buch *Das Stilgesetz der Poesie*, einer ebenso bescheiden vorgetragenen wie kühn gedachten Konzeption, vor mehr als fünfzig Jahren gegen den Lessingschen Laokoon und die an ihn sich anschließende Tradition, und sicherlich ohne Kenntnis Mallarmés, eine Theorie entwickelt, die etwa die Sätze zusammenfassen: »Es könnte sich bei genauerem Betrachten ergeben, daß solche Sinnenbilder mit der Sprache gar nicht geschafft werden können, daß die Sprache allem, was durch sie hindurchgeht, auch dem Sinnlichen ihren eigenen Stempel aufdrückt; daß sie uns also das Leben, das uns der Dichter zu genießendem Nacherleben darbieten möchte, in psychischen Gebilden vorführt, die verschieden von den Erscheinungen der sinnlichen Wirklichkeit nur unserer Vorstellung eigen sind. Dann wäre die Sprache nicht das Vehikel, sondern das Darstellungsmittel der Poesie. Denn nicht in Sinnbildern, die durch die Sprache suggeriert wären, sondern in der Sprache selber und in den durch sie geschaffenen ihr allein eigentümlichen Gebilden bekämen wir den Gehalt. Man sieht, die Frage nach dem Darstellungsmittel der Poesie ist nicht müßig, ist kein Streit um des Kaisers Bart; sie wird alsbald zur Frage nach der Gebundenheit der Kunst an die sinnliche Erscheinung. Sollte es sich finden, daß die Lehre vom Vehikel ein Irrtum ist, so fällt mit ihm auch die Definition der Kunst als Anschauung.«[1]) Das paßt genau auf Eichendorff. Die »Sprache als Darstellungsmittel der Poesie«, als ein Autonomes, ist seine Wünschelrute. Ihr dient die Selbstauslöschung des Subjekts. Der sich nicht bewahren will, findet für sich die Zeilen: »Und so muß ich, wie im Strome dort die Welle, / Ungehört verrauschen an des Frühlings Schwelle.« Zum Rauschen macht sich das Subjekt selber: zur Sprache, überdauernd bloß im Verhallen wie diese. Der Akt der Versprachlichung des Menschen, ein Wortwerden des Fleisches, bildet der Sprache den Ausdruck von Natur ein und transfiguriert ihre Bewegung ins Leben noch einmal. Rauschen war sein Lieblingswort, fast seine Formel; das

[1]) Theodor A. Meyer. Das Stilgesetz der Poesie, 1901, S. 8

Borchardtsche »Ich habe nichts als Rauschen«
dürfte als Motto über Vers und Prosa Eichendorffs stehen. Dies Rauschen jedoch wird von der
allzu hastigen Erinnerung an Musik versäumt.
Rauschen ist kein Klang sondern Geräusch, der
Sprache verwandter als dem Klang, und Eichendorff selber stellt es als sprachähnlich vor. »Er
verließ schnell den Ort«, wird vom Helden des
Marmorbildes erzählt, »und immer schneller
und ohne auszuruhen eilte er durch die Gärten
und Weinberge wieder fort, der ruhigen Stadt
zu; denn auch das Rauschen der Bäume kam ihm
nun wie ein verständiges, vernehmliches Geflüster
vor, und die langen gespenstischen Pappeln schienen mit ihren weitgestreckten Schatten hinter ihm
drein zu langen.« Das ist nochmals allegorischen
Wesens: als würde Natur dem Schwermütigen
zur bedeutenden Sprache. Aber die allegorische
Intention wird in Eichendorffs eigener Dichtung
getragen nicht sowohl von der Natur, der er sie
an jener Stelle zuschreibt, als von seiner Sprache
in ihrer Bedeutungsferne. Sie ahmt Rauschen und
einsame Natur nach. Damit drückt sie eine Entfremdung aus, die kein Gedanke sondern nur
noch der reine Laut überbrückt. Doch auch das
Entgegengesetzte. Die erkalteten Dinge werden
durch die Ähnlichkeit ihres Namens mit ihnen
selber heimgeholt, und der Zug der Sprache erweckt jene Ähnlichkeit. Ein Potential des jungen
Goethe, der nächtigen Landschaft von *Willkom-*

men und Abschied, wird bei Eichendorff zum Formgesetz: das der Sprache als zweiter Natur, in der die vergegenständlichte, dem Subjekt verlorene diesem wiederkehrt als beseelte. Eichendorff ist dem Bewußtsein davon sehr nahe gekommen, und zwar nicht zufällig in einem Tafellied zu Goethes Geburtstag 1831, dessen letztem: »Wie rauschen nun Wälder und Quellen / Und singen vom ewigen Port.« Sagt Proust von den Bildern Renoirs, daß, seit sie gemalt wurden, die Welt selbst anders aussieht, so wird hier mit tiefem Blick an der Lyrik Goethes das Ungeheure gerühmt, daß durch sie Natur selber sich verändert habe, durch ihn die Rauschende geworden sei. Der »Port« aber, den nach Eichendorffs Deutung Wälder und Quellen besingen, ist die Versöhnung mit den Dingen durch die Sprache. Zur Musik transzendiert sie erst kraft jener Versöhnung. Das Requisitenhafte der Sprachelemente widerspricht dem nicht sowohl, als daß es die Bedingung dafür abgibt. Die Sigel einer selber bereits verdinglichten Romantik steh n in Eichendorffs Dichtung ein für die Entzauberung der Welt, und an ihnen gerade gelingt die Erweckung durch Selbstpreisgabe. Kraft gegen das Härteste hat bei Eichendorff allein das Zarteste wie in Brechts Laotse-Gedicht: »Daß das weiche Wasser in Bewegung mit der Zeit den Stein besiegt. Du verstehst.« Das weiche Wasser in Bewegung: das ist das Gefälle der Sprache, das, wohin sie von sich aus möchte, die Kraft des Dichters aber die zur Schwäche, die, dem Sprachgefälle nicht zu widerstehen eher als die, es zu meistern. Gegen den Vorwurf des Trivialen ist es so wehrlos wie die Elemente; aber was es vollbringt: die Wörter wegzuschwemmen von ihren abgezirkelten Bedeutungen und sie, in dem sie sich berühren, aufleuchten zu machen, überführt dergleichen Einwände der Armseligkeit pedantischen Gebildetseins.

Eichendorffs Größe ist nicht dort zu suchen, wo er gesichert ist, sondern wo die Schutzlosigkeit seines Gestus am äußersten sich exponiert. Das Gedicht *Sehnsucht* lautet:

> Es schienen so golden die Sterne,
> Am Fenster ich einsam stand
> Und hörte aus weiter Ferne
> Ein Posthorn im stillen Land.
> Das Herz mir im Leibe entbrennte,
> Da hab' ich mir heimlich gedacht:
> Ach, wer da mitreisen könnte
> In der prächtigen Sommernacht!
>
> Zwei junge Gesellen gingen
> Vorüber am Bergeshang,
> Ich hörte im Wandern sie singen
> Die stille Gegend entlang:
> Von schwindelnden Felsenschlüften,
> Wo die Wälder rauschen so sacht,
> Von Quellen, die von den Klüften
> Sich stürzen in die Waldesnacht.
>
> Sie sangen von Marmorbildern,
> Von Gärten, die überm Gestein

In dämmernden Lauben verwildern,
Palästen im Mondenschein,
Wo die Mädchen am Fenster lauschen,
Wann der Lauten Klang erwacht
Und die Brunnen verschlafen rauschen
In der prächtigen Sommernacht.

Dies Gedicht, unvergänglich wie nur eines aus Menschenhand, enthält kaum einen Zug, dem man nicht das Abgeleitete, Sekundäre vorrechnen könnte, aber jeder dieser Züge wandelt sich in Charakter durch die Fühlung mit dem nächsten. Was ließe von der nächtlichen Landschaft Unverbindlicheres sich sagen, als daß sie still sei, und was wäre fataler als das Posthorn; aber das Posthorn im stillen Land, der tiefsinnige Widersinn, daß der Klang die Stille nicht sowohl tötet, denn, als ihre eigene Aura, zur Stille erst macht, trägt schwindelnd hinweg übers Gewohnte, und die unmittelbar anschließende Zeile »Das Herz mir im Leibe entbrennte«, mit dem ungebräuchlichen Präteritum, das gleichsam vom ungestümen Pochen der Gegenwart nicht los kann, verbürgt durch den Kontrast zu dem Vorhergehenden eine Würde und Eindringlichkeit, von der kein einzelnes ihrer Worte etwas weiß. Oder: wie schwach wäre, nach allen Maßstäben des Gewählten, für die Sommernacht das Attribut »prächtig«. Aber das Assoziationsfeld des Adjektivs begreift die von Menschen geschaffene Schönheit, allen Reichtum von Stoff und Stickerei in sich ein und nähert damit das Bild des gestirnten Himmels dem uralten von Mantel und Gezelt: die ahnungsvolle Erinnerung daran macht es glühen. Wie offen zutage liegt die Abhängigkeit der vier Zeilen übers Gebirge von denen aus »Kennst du das Land«, aber wie weltfern von dem mächtig festbannenden »Es stürzt der Fels und über ihn die Flut« Goethes ist das Pianissimo des »Wo die Wälder rauschen so sacht«, das Paradoxon eines leisen, gleichsam nur noch im akustischen Innenraum vernehmbaren Rauschens, in das die heroische Landschaft zerrinnt, opfernd die Bestimmtheit der Bilder für ihre Flucht in offene Unendlichkeit. So ist auch das Italien des Gedichts nicht bestätigtes Ziel der Sinne, sondern selber wiederum nur Allegorie der Sehnsucht, voll des Ausdrucks der Vergängnis, des »Verwilderten«, kaum Gegenwart. Die Transzendenz der Sehnsucht aber ist gebannt im Ende des Gedichts, einem Formeinfall des Genius, der im metaphysischen Gehalt entspringt. Wie in musikalischer Reprise schließt es sich kreishaft zusammen. Als Erfüllung der Sehnsucht dessen, der da mitreisen möchte in der prächtigen Sommernacht, erscheint die prächtige Sommernacht noch einmal, Sehnsucht selbst. Das Gedicht rankt sich gleichsam um den Goetheschen Titel *Selige Sehnsucht:* Sehnsucht mündet in sich als in ihr eigenes Ziel, so wie, in ihrer Unendlichkeit, der Transzendenz über alles Bestimmte, der Sehnsüchtige den eigenen Zustand erfährt; so wie Liebe stets so sehr der Liebe gilt wie der Geliebten. Denn wie das letzte Bild des Gedichts die Mädchen erreicht, die am Fenster lauschen, enthüllt es sich als erotisch; aber das Schweigen, mit dem allerorten Eichendorff Begierde zudeckt, schlägt um in jene oberste Idee des Glücks, worin Erfüllung als Sehnsucht selber sich offenbart, die ewige Anschauung der Gottheit.

Eichendorff zählt, nach der Periodisierung der Geistesgeschichte und auch dem eigenen Habitus nach, bereits in die Phase des Verfalls der deutschen Romantik. Wohl hat er viele aus der ersten Generation, darunter Clemens Brentano, noch gekannt, aber das Band scheint zerrissen; nicht zufällig hat er den deutschen Idealismus, nach Schlegels Wort, eine der großen Tendenzen des Zeitalters, mit dem Rationalismus verwechselt. Er hat den Nachfolgern Kants, für den er einsichtsvolle und ehrfürchtige Worte fand, »eine Art chinesischer Schönmalerei ohne allen Schatten, der doch das Bild erst wahrhaft lebendig macht« in vollkommenem Mißverständnis vorgeworfen und an ihnen kritisiert, daß sie »das Geheimnisvolle und Unerforschliche, das sich durch das ganze menschliche Dasein hindurchzieht, ohne weiteres als störend und überflüssig negierten«. Dem Bruch der Tradition, den solche ununterrichteten Sätze dessen bekunden, der selber noch im Heidelberg der großen Jahre studierte, entspricht seine Stellung zu den romantischen Errungenschaften als zu einem Erbe. Aber weit entfernt davon, daß dergleichen geistesgeschichtliche Reflexionen Eichendorffs Lyrik minderten, beweisen sie nur das Läppische einer Betrachtungsweise nach dem Schema von Aufstieg, Höhe und Verfall. Den Dichtungen Eichendorffs fiel mehr zu als denen der Inauguratoren der deutschen Romantik, die ihm bereits historisch waren und die er kaum mehr recht begriff. Hat Romantik, nach dem Wort eines anderen ihrer Spätlinge, Kierkegaard, an jedem Erlebnis die Taufe der Vergessenheit vollzogen und es der Ewigkeit der Erinnerung geweiht, dann bedurfte es wohl der Erinnerung, um der Idee der Romantik ganz Genüge zu tun, die ihrer eigenen Unmittelbarkeit und Gegenwart widersprach. Erst die abgeschiedenen Worte sind, von Eichendorffs Munde gesprochen, zur Natur zurückgekehrt, erst die Trauer um den verlorenen Augenblick hat errettet, was der lebendige bis heute stets wieder versäumte.

Coda: Schumanns Lieder

Schumanns *Liederkreis* nach Eichendorff-Gedichten op. 39 ist einer der großen lyrischen Zyklen der Musik. Diese bilden, seit Schuberts *Müllerliedern* und der *Winterreise* bis zu den *Georgeliedern* op. 15 von Schönberg, eine eigentümliche Form, welche die Gefahr allen Lied-

wesens, die Verniedlichung der Musik in genre-
hafte Kleinformate, bannt durch Konstruktion:
das Ganze steigt aus dem Zusammenhang minia-
turhafter Elemente auf. Der Rang des Schumann-
schen Zyklus ward so wenig je in Zweifel gezogen
wie sein Zusammenhang mit der glücklichen
Wahl großer Dichtung. Viele der bedeutendsten
Eichendorff-Verse sind darunter, und die weni-
gen anderen haben durch besondere Eigentüm-
lichkeiten die Komposition inspiriert. Mit Grund
nennt man die Lieder kongenial. Das heißt aber
nicht, daß sie den lyrischen Gehalt ihres Vor-
wurfs bloß wiederholten; dann wären sie, nach
höchster künstlerischer Ökonomie, überflüssig.
Sondern sie bringen ein Potential der Gedichte
heraus, jene Transzendenz zum Gesang, die entspringt in der Bewegung über alles bildhaft und
begrifflich Bestimmte hinweg, im Rauschen des
Wortgefälles. Die Kürze der gewählten Texte —
keine Komposition außer der gleichsam exterri-
torialen dritten ist länger als zwei Seiten — erlaubt jeder einzelnen äußerste Präzision und
schließt mechanische Wiederholung vorweg aus.
Meist handelt es sich um variierte Strophenlieder,
zuweilen um dreiteilige Liedformen nach dem
Grundriß a-b-a, einigemale auch um ganz un-
konventionelle, in einen Abgesang mündende
Formen. Die Charaktere sind aufs genaueste gegeneinander ausgewogen, sei es durchs Mittel sich
steigernder Kontraste, sei es durch verbindende

Übergänge. Gerade die Profiliertheit der einzelnen Charaktere macht aber den Plan des Ganzen notwendig, wenn es nicht in Details sich zersplittern soll; die unausrottbare Frage, ob ein solcher Plan dem Komponisten bewußt war, ist gleichgültig gegenüber dem Komponierten. Wird immer wieder von Schumanns Formalismus geredet, so mag etwas daran sein, solange es um die überlieferten und ihm bereits entfremdeten Formen sich handelt; wo er sich eigene schafft, wie in seinen früheren Instrumental- und Vokalzyklen, bewährt er nicht nur den subtilsten Formsinn sondern obendrein einen von äußerster Originalität. Alban Berg hat, in seiner exemplarischen Analyse der *Träumerei* und ihrer Stellung in den *Kinderszenen,* zum ersten Mal, zwingend, darauf aufmerksam gemacht. Der Aufbau der Eichendorfflieder, in vielem den *Kinderszenen* verwandt, erheischt ähnliche Einsicht, wenn man über die bloß wiederholende Beteuerung ihrer Schönheit hinausgelangen will.

Jener Aufbau des *Liederkreises* steht im engsten Verhältnis zum Gehalt der Texte. Wörtlich ist der von Schumann herrührende Titel *Liederkreis* zu nehmen: die Folge schließt sich den Tonarten nach zusammen und durchmißt zugleich einen modulatorischen Weg von der Melancholie des ersten, in fis-Moll, zur Ekstase des letzten im Dur des gleichen Tons. Ähnlich wie die *Kinderszenen* ist das Ganze zweiteilig gegliedert; und zwar im einfachsten Symmetrieverhältnis, mit der Zäsur nach dem sechsten Lied. Sie wäre durch ein deutliches Absetzen zu markieren. Das letzte Lied des ersten Teils, *Schöne Fremde*, steht in H-Dur, mit entschiedenem Aufstieg in die Dominanzregion; das letzte des gesamten Zyklus, in Fis-Dur, führt diesen Aufstieg noch um eine Quint weiter. Dies architektonische Verhältnis drückt ein poetisches aus: das sechste Lied endet mit der Utopie des künftigen großen Glücks, mit Ahnung; das letzte, die *Frühlingsnacht* mit dem Jubel: »Sie ist Deine, sie ist dein«, mit Gegenwart. Verstärkt wird die Zäsur durch den Tonartenplan. Während die Lieder des ersten Teils allesamt in Kreuztonarten geschrieben sind, senken sie sich zu Beginn des zweiten Teils zweimal nach a-Moll, ohne Vorzeichen, um dann die im ersten Teil vorwaltenden Tonarten reprisenhaft wieder aufzunehmen, bis die Anfangstonart erreicht und zugleich mit der Versetzung in Dur die stärkste modulatorische Steigerung bewirkt wird. Die Folge der Tonarten ist bis ins einzelne balanciert; das zweite Lied bringt die Dur-Parallele zum ersten, das dritte deren Dominante; das vierte senkt sich ins terzverwandte G-Dur, das fünfte stellt das vorausgehende E-Dur wieder her, und das sechste erhebt sich weiter nach H-Dur. Von den beiden a-Moll-Liedern des zweiten Teils schließt das erste auf einem Dominantakkord, der das Gedächtnis an E-Dur wachruft; das anschließende, *In der Fremde,* anstatt in a-Moll in A-Dur, das folgende erreicht dann wiederum E-Dur als Dominanz-Tonart von A-Dur, analog dem architektonischen Verhältnis des dritten zum zweiten. Ähnlich korrespondiert das zehnte, in e-Moll, dem vierten in G-Dur, beide in Tonarten mit nur einem Kreuz. Anstelle des E-Dur des fünften jedoch bringt das elfte nur A-Dur und verleiht dadurch dem Übergang in die extreme Tonart, Fis-Dur, mit der großen Spannung allen modulatorischen Nachdruck. —

Diese harmonischen Proportionen vermitteln die innere Form des Zyklus. Er beginnt also mit zwei lyrischen Stücken, traurig das eine, im abgerungen fröhlichen Ton das zweite. Das dritte, *Waldesgespräch,* die Loreleiballade, kontrastiert ebenso durch den erzählenden Ton wie durch die breitere Anlage und den doppelstrophischen Bau; im ersten Teil nimmt es eine ähnliche Sonderstellung ein wie dann im zweiten die an analoger Stelle lokalisierte *Wehmut.* Das vierte und fünfte Lied wenden sich zum intimen Charakter zurück, steigern aber dessen Zartheit, *Die Stille,* ein piano-, die *Mondnacht,* ein pianissimo-Lied. Das sechste, die *Schöne Fremde,* bringt den ersten großen Ausbruch. Der zweite Teil wird eröffnet von einem Stück zwischen Lied und Ballade, und auch das folgende gibt den lyrischen Ausdruck im Medium des Erzählens. Die *Wehmut* dann ist formal ein

Intermezzo wie zuvor das *Waldesgespräch,* nun aber lyrisch ganz und gar, gleichsam die Selbstreflexion des Zyklus. Das zehnte Lied, *Zwielicht,* erreicht, wie das Gedicht es verlangt, den Schwerpunkt des Ganzen, die tiefste, dunkelste Stelle des Gefühls. Es zittert nach im elften, der Jagdvision *Im Walde.* Darauf endlich, mit dem stärksten Kontrast des gesamten Zyklus, die Elevation der *Frühlingsnacht.* —

Zu den einzelnen Liedern mag so viel bemerkt sein: das erste, *In der Heimat hinter den Blitzen rot,* ist »Nicht schnell« überschrieben und wird darum stets zu langsam genommen; man muß es in ruhigen Halben, nicht in Vierteln denken. Auffallend vorab die dissonierenden Akkordakzente; der kurze Mittelteil kennt ein trübsinniges Dur, mit kurzen Motivansätzen im Klavier; eine unbeschreiblich ausdrucksvolle harmonische Variante fällt auf die Worte »Da ruhe ich auch«. Das zweite Lied, *Dein Bildnis wunderselig,* am ehesten Schumanns Heinegesängen vergleichbar, hat einen drängenden Mittelteil, dessen Impuls von der Reprise nach Hause gebracht wird; abermals gibt es Ansätze selbständiger Nebenstimmen, eine Art hingetuschten harmonischen Kontrapunkts, der für den Stil des ganzen Werkes charakteristisch ist; folgerecht arbeitet dann auch das Nachspiel mit Imitationen des Themas durch seine Gegenbewegung. — Das *Waldesgespräch* ist eines jener Schumannmodelle, aus denen

139

Brahms entsprang. Sinnfällig der Kontrast des Balladenberichts und der Geisterstimme, musikalisch am originellsten die zwiespältigen alterierten Akkorde, welche die drohende Lockung ausdrücken. Das vierte, ganz vor sich hingesungene Lied bricht in der Mitte jäh aus und nimmt sogleich ins Leise sich zurück. Von der *Mondnacht* läßt so schwer sich reden, wie, nach Goethes Diktum, von allem, was eine große Wirkung getan hat. Doch darf bei der Komposition, der tongewordenen Klarheit, wenigstens auf Züge verwiesen werden, durch die solche Klarheit der Monotonie entgeht, wie die hinzugefügte Sekundreibung in der zweiten Strophe bei den Worten »durch die Felder«. Die Form nähert sich dem Bar; die letzte Strophe zeichnet als Abgesang die ausgreifende Gebärde des Gedichts nach, während doch die beiden letzten Zeilen die Reprise des Beginns darstellen und das transzendierende Gebilde wiederum in sich verschließen. Der rhythmischen Dehnung zu den Schlußworten »Als flöge sie nach Haus«, wo aus zwei Dreiachteltakten ein großer Dreivierteltakt wird, dürfte kein Ohr sich versagen, das sie einmal wahrgenommen hat. Dies auskomponierte Ritardando hat ein Brahmsisches Verfahren gezeitigt, das schließlich die bei Schumann unbestrittene Vorherrschaft der achttaktigen Periode brach. Die *Schöne Fremde* setzt auf der dritten Stufe ein, gewissermaßen in schwebender Tonalität, so daß das H-Dur des ekstatischen Schlusses wirkt, als wäre es nicht vorweg da, sondern aus dem Gang der Melodie erst erzeugt; das Wort »phantastisch« spiegelt sich in einer süß eindringenden Dissonanz. Auch hier hat die Schlußstrophe deutlich das Wesen des Abgesangs; aber in dem Lied ist insgesamt auf Symmetrie durch Wiederholung verzichtet, es strömt mit wahrhaft unerhörter Freiheit dorthin, wo es melodisch und harmonisch hinaus will.

Auf einer Burg, das ritterromantische Stück, mit dem der zweite Teil anhebt, wird ausgezeichnet durch die kühnen, bei Schumann und im früheren neunzehnten Jahrhundert wohl einzigartigen Dissonanzen, die aus dem Zusammenstoß der melodischen Linie mit den choralhaften Bindungen der an Nebenstufen reichen Begleitung resultieren; es ist, als hätte die Modernität dieser Harmonisierung vorweg das Gedicht vorm Veralten schützen wollen. Das gedämpft hastende *Ich hör die Bächlein rauschen* ist aus einfachsten Zweitaktern, ohne jede rhythmische Variation gefügt, aber mit derart expressiven harmonischen Ausweichungen und, am Schluß, einem so grellen Akzent, daß gleichwohl die wildeste Rührung davon ausgeht. Das Adagio-Intermezzo *Wehmut* hält sich im undurchbrochenen, gebundenen Satz harmonischer Instrumentalstimmen; *Zwielicht* jedoch, vielleicht das großartigste Stück des Zyklus, ist kontrapunktisch, mit jener unendlich produktiven Umdeutung Bachs, an der der Historismus sich stößt, während also verwandelt Bach wahrhaft nachlebt. Die erste und zweite Strophe endet im dunklen Ton eines lang hallenden Akkords; die dritte, »Hast du einen Freund hinnieden«, verdichtet das kontrapunktische Gewebe durch Hinzufügung einer dritten selbständigen Stimme; die vierte schließlich vereinfacht das Lied, bei identischer Melodie, ins Homophone und faßt die merkwürdige letzte Zeile, »Hüte dich, sei wach und munter«, aufs knappste, rezitativisch. Das folgende Lied *Im Walde* wird erzeugt aus der anschlagenden Tonwiederholung des Horns und dem immer wiederkehrenden Gegensatz von Ritardando und a tempo, der übrigens der Darstellung außerordentliche Schwierigkeiten bereitet. Schumanns Formsinn triumphiert darin, daß er, gleichsam um die hartnäckig retardierenden Momente auszugleichen, einen fast widerstandslos gleitenden und gerade dadurch höchst unheimlichen Abgesang schreibt, der doch stets dem Hornrhythmus treu bleibt bis in die beiden letzten Noten der Singstimme hinein. Die *Frühlingsnacht* endlich, berühmt wie nur *Es war, als hätt' der Himmel*, scheint so sehr aus einem Guß, als spottete sie des analytischen Blicks; aber ihre Einheit wird gerade von der vielfältigen Artikulation des gedrängten Verlaufs erzeugt. Das Lied des äußersten Ausbruchs ist ein piano-Lied, nach jeder Welle zum leisen Grunde zurückkehrend, und nur dem verdankt es das Atemlose, das schließlich im Forte der beiden letzten Zeilen sich entlädt. Der Mittelsatz »Jauchzen möcht ich, möchte weinen« setzt zu der jagenden Akkordbegleitung den Gegensatz einer abermals nur eben angedeuteten Gegenstimme, ohne daß doch die Bewegung unterbrochen würde. Das Atemlose steigert sich aufs höchste dort, wo, vor den Worten »Mit dem Mondesglanz herein«, ein guter Taktteil ganz ausgespart ist. Die Wiederholung der ersten Strophe führt zur Klimax nicht nur durch die harmonischen und melodischen Variationen, sondern dadurch, daß an der entscheidenden Stelle der Kontrapunkt des Mittelteils, nun erst ganz frei und erfüllend, hinzugefügt wird und ins Nachspiel hinüberträgt, in dem dies Motiv, der wahre Jubel, alles andere vergessen hinter sich zurückläßt.

Die Wunde Heine

Wer im Ernst zum Gedächtnis Heines am hundertsten Tag seines Todes beitragen will und keine bloße Festrede halten, muß von einer Wunde sprechen; von dem, was an ihm schmerzt und seinem Verhältnis zur deutschen Tradition, und was zumal in Deutschland nach dem zweiten Krieg verdrängt ward. Sein Name ist ein Ärgernis, und nur wer dem ohne Schönfärberei sich stellt, kann hoffen, weiterzuhelfen.

Nicht erst von den Nationalsozialisten ist Heine diffamiert worden. Ja diese haben ihn beinahe zu Ehren gebracht, als sie unter die Loreley jenes berühmt gewordene »Dichter unbekannt« setzten, das die insgeheim schillernden Verse, die an Figurinen der Pariserischen Rheinnixen einer verschollenen Offenbachoper mahnen, als Volkslied unerwartet sanktionierte. Das *Buch der Lieder* hatte unbeschreibliche Wirkung getan, weit über den literarischen Umkreis hinaus. In seiner Folge ward schließlich die Lyrik hinabgezogen in die Sprache von Zeitung und Kommerz. Darum geriet Heine um 1900 bei den geistig Verantwortlichen in Verruf. Man mag das Verdikt der Georgeschule dem Nationalismus zuschreiben, das von Karl Kraus läßt sich nicht auslöschen. Seit-

144

dem ist die Aura Heines peinlich, schuldhaft, als blutete sie. Seine eigene Schuld ward zum Alibi jener Feinde, deren Haß gegen den jüdischen Mittelsmann am Ende das unsägliche Grauen bereitete.

Das Ärgernis umgeht, wer sich auf den Prosaschriftsteller beschränkt, dessen Rang, inmitten des durchweg trostlosen Niveaus der Epoche zwischen Goethe und Nietzsche, in die Augen springt. Diese Prosa erschöpft sich nicht in der Fähigkeit bewußter sprachlicher Pointierung, einer in Deutschland überaus seltenen, von keiner Servilität gehemmten polemischen Kraft. Platen etwa bekam sie zu spüren, als er Heine antisemitisch anrempelte und eine Abfuhr erhielt, die man heutzutage wohl existentiell nennen würde, hielte man nicht den Begriff des Existentiellen so sorgfältig von der realen Existenz der Menschen rein. Aber Heines Prosa reicht weit über solche Bravourstücke hinaus durch ihren Gehalt. Wenn, seitdem Leibniz Spinoza die kalte Schulter zeigte, alle deutsche Aufklärung insofern jedenfalls mißlang, als sie den gesellschaftlichen Stachel verlor und zum untertänig Affirmativen sich beschied, dann hat Heine allein unter den berühmten Namen der deutschen Dichtung, und in aller Affinität zur Romantik, einen unverwässerten Begriff von Aufklärung bewahrt. Das Unbehagen, das er trotz seiner Konzilianz verbreitet, geht von jenem scharfen Klima aus. Mit höflicher Ironie weigert er sich, das soeben Demolierte durch die Hintertür — oder die Kellertür der Tiefe — sogleich wieder einzuschmuggeln. Man mag bezweifeln, ob er so stark den frühen Marx beeinflußte, wie manche jungen Soziologen es möchten. Politisch war Heine ein unsicherer Geselle: auch des Sozialismus. Aber er hat diesem gegenüber den rasch genug zugunsten von Sprüchen wie »Wer nicht arbeitet, soll nicht essen« verschütteten Gedanken ungeschmälerten Glücks im Bild einer rechten Gesellschaft festgehalten. In seiner Aversion gegen revolutionäre Reinheit und Strenge meldet sich Mißtrauen gegen das Muffige und Asketische an, dessen Spur bereits manchen frühen sozialistischen Dokumenten nicht fehlt und weit später verhängnisvollen Entwicklungstendenzen zugute kam. Heine der Individualist, der es so sehr war, daß er sogar aus Hegel nur Individualismus heraushörte, hat doch dem individualistischen Begriff der Innerlichkeit nicht sich gebeugt. Seine Idee sinnlicher Erfüllung begreift die Erfüllung im Auswendigen mit ein, eine Gesellschaft ohne Zwang und Versagung.

Die Wunde jedoch ist Heines Lyrik. Einmal hat ihre Unmittelbarkeit hingerissen. Sie hat das Goethesche Diktum vom Gelegenheitsgedicht so ausgelegt, daß jede Gelegenheit ihr Gedicht fand und jeder die Gelegenheit zum Dichten für günstig hielt. Aber diese Unmittelbarkeit war zugleich überaus vermittelt. Heines Gedichte waren

prompte Mittler zwischen der Kunst und der sinn-
verlassenen Alltäglichkeit. Die Erlebnisse, die sie
verarbeiteten, wurden ihnen unter der Hand, wie
dem Feuilletonisten, zu Rohstoffen, über die sich
schreiben läßt; die Nüancen und Valeurs, die sie
entdeckten, machten sie zugleich fungibel, gaben
sie in die Gewalt einer fertigen, präparierten
Sprache. Das Leben, von dem sie ohne viel Um-
stände zeugten, war ihnen verkäuflich; ihre Spontaneität eins mit der Verdinglichung. Ware und
Tausch bemächtigten sich in Heine des Lauts, der
zuvor sein Wesen hatte an der Negation des
Treibens. So groß war die Gewalt der entfalteten
kapitalistischen Gesellschaft damals schon geworden, daß die Lyrik sie nicht mehr ignorieren
konnte, wenn sie nicht ins provinziell Heimelige
versinken wollte. Damit ragt Heine in die Moderne des neunzehnten Jahrhunderts hinein gleich
Baudelaire. Aber Baudelaire, der Jüngere, zwingt
der Moderne selbst, der weiter vorgerückten Erfahrung des unaufhaltsam Zerstörenden und Auflösenden, heroisch Traum und Bild ab, ja transfiguriert den Verlust aller Bilder selbst ins Bild. Die
Kräfte solchen Widerstandes wuchsen mit denen
des Kapitalismus. In dem Heine, den noch Schubert
komponierte, waren sie nicht ebenso angespannt.
Williger hat er sich dem Strom überlassen, hat
gleichsam eine dichterische Technik der Repro-
duktion, die dem industriellen Zeitalter ent-
sprach, auf die überkommenen romantischen Ar-

chetypen angewandt, nicht aber Archetypen der Moderne getroffen.

Darüber genau schämen sich die Nachgeborenen. Denn seit es bürgerliche Kunst gibt derart, daß die Künstler ohne Protektoren ihr Leben erwerben müssen, haben sie neben der Autonomie ihres Formgesetzes insgeheim das Marktgesetz anerkannt und für Abnehmer produziert. Nur verschwand solche Abhängigkeit hinter der Anonymität des Marktes. Sie erlaubte es dem Künstler, sich und anderen als rein und autonom zu erscheinen, und dieser Schein selbst wurde honoriert. Dem Romantiker Heine, der vom Glück der Autonomie zehrte, hat der Aufklärer Heine die Maske heruntergerissen, den bislang latenten Warencharakter hervorgekehrt. Das hat man ihm nicht verziehen. Die sich selbst überspielende und damit wiederum sich selbst kritisierende Willfährigkeit seiner Gedichte demonstriert, daß die Befreiung des Geistes keine Befreiung der Menschen war und darum auch keine des Geistes.

Die Wut dessen aber, der das Geheimnis der eigenen Erniedrigung an der eingestandenen des anderen wahrnimmt, heftet sich mit sadistischer Sicherheit an seine schwächste Stelle, das Scheitern der jüdischen Emanzipation. Denn seine von der kommunikativen Sprache erborgte Geläufigkeit und Selbstverständlichkeit ist das Gegenteil heimatlicher Geborgenheit in der Sprache. Nur der verfügt über die Sprache wie über ein Instrument, der in Wahrheit nicht in ihr ist. Wäre es ganz die seine, er trüge die Dialektik zwischen dem eigenen Wort und dem bereits vorgegebenen aus, und das glatte sprachliche Gefüge zerginge ihm. Dem Subjekt aber, das die Sprache wie ein vergriffenes Ding gebraucht, ist sie selber fremd. Heines Mutter, die er liebte, war des Deutschen nicht ganz mächtig. Seine Widerstandslosigkeit gegenüber dem kurrenten Wort ist der nachahmende Übereifer des Ausgeschlossenen. Die assimilatorische Sprache ist die von mißlungener Identifikation. Die allbekannte Geschichte, daß der Jüngling Heine dem alten Goethe auf dessen Frage nach seiner gegenwärtigen Arbeit »ein Faust« geantwortet habe und darauf ungnädig verabschiedet wurde, erklärte Heine selbst mit seiner Schüchternheit. Sein Vorwitz entsprang der Regung dessen, der für sein Leben gern aufgenommen sein möchte und damit doppelt die Bodenständigen reizt, die, indem sie ihm die Hilflosigkeit seiner Anpassung vorhalten, die eigene Schuld übertäuben, daß sie ihn ausgeschlossen haben. Das ist heute noch das Trauma von Heines Namen, und geheilt kann es nur werden, wenn es erkannt wird, anstatt trüb, vorbewußt fortzuwesen.

Die Möglichkeit dazu aber liegt rettend in der Heineschen Lyrik selber beschlossen. Denn die Macht des ohnmächtig Spottenden übersteigt seine

Ohnmacht. Ist aller Ausdruck die Spur von Leiden, so hat er es vermocht, das eigene Ungenügen, die Sprachlosigkeit seiner Sprache, umzuschaffen zum Ausdruck des Bruchs. So groß war die Virtuosität dessen, der die Sprache gleichwie auf einer Klaviatur nachspielte, daß er noch die Unzulänglichkeit seines Worts zum Medium dessen erhöhte, dem gegeben ward zu sagen, was er leidet. Mißlingen schlägt um ins Gelungene. Nicht in der Musik derer, die seine Lieder vertonten — erst in der vierzig Jahre nach seinem Tod entstandenen von Gustav Mahler, in der die Brüchigkeit des Banalen und Abgeleiteten zum Ausdruck des Realsten, zur wild entfesselten Klage taugt, hat dies Heinesche Wesen sich ganz enthüllt. Erst die Mahlerschen Gesänge von den Soldaten, die aus Heimweh die Fahne flohen, die Ausbrüche des Trauermarschs der V. Symphonie, die Volkslieder mit dem grellen Wechsel von dur und moll, die zuckende Gestik des Mahlerschen Orchesters haben die Musik der Heineschen Verse entbunden. Das Altbekannte nimmt im Munde des Fremden etwas Maßloses, Übertriebenes an, und das eben ist die Wahrheit. Ihre Chiffren sind die ästhetischen Risse; sie versagt sich der Unmittelbarkeit runder erfüllter Sprache.

In dem Zyklus, den der Emigrant *Die Heimkehr* nannte, stehen die Verse:

Mein Herz mein Herz ist traurig,
Doch lustig leuchtet der Mai;
Ich stehe, gelehnt an der Linde,
Hoch auf der alten Bastei.

Da drunten fließt der blaue
Stadtgraben in stiller Ruh;
Ein Knabe fährt im Kahne,
Und angelt und pfeift dazu.

Jenseits erheben sich freundlich,
In winziger, bunter Gestalt
Lusthäuser, und Gärten, und Menschen,
und Ochsen, und Wiesen, und Wald.

Die Mägde bleichen Wäsche,
Und springen im Gras herum:
Das Mühlrad stäubt Diamanten,
Ich höre sein fernes Gesumm.

Am alten grauen Turme
Ein Schilderhäuschen steht;
Ein rotgeröckter Bursche
Dort auf und nieder geht.

Er spielt mit seiner Flinte,
Die funkelt im Sonnenrot,
Er präsentiert und schultert —
Ich wollt, er schösse mich tot.

Hundert Jahre hat es gebraucht, bis aus dem
absichtsvoll falschen Volkslied ein großes Gedicht
ward, die Vision des Opfers. Heines stereotypes
Thema, hoffnungslose Liebe, ist Gleichnis der
Heimatlosigkeit, und die Lyrik, die ihr gilt, eine
Anstrengung, Entfremdung selber hineinzuziehen in den nächsten Erfahrungskreis. Heute, nach-
dem das Schicksal, das Heine fühlte, buchstäblich

sich erfüllte, ist aber zugleich die Heimatlosigkeit die aller geworden; alle sind in Wesen und Sprache so beschädigt, wie der Ausgestoßene es war. Sein Wort steht stellvertretend ein für ihr Wort: es gibt keine Heimat mehr als eine Welt, in der keiner mehr ausgestoßen wäre, die der real befreiten Menschheit. Die Wunde Heine wird sich schließen erst in einer Gesellschaft, welche die Versöhnung vollbrachte.

Rückblickend auf den Surrealismus

Die verbreitete Theorie des Surrealismus, wie sie in den Manifesten von Breton niedergelegt ist, aber auch die Sekundärliteratur beherrscht, setzt ihn zum Traum in Beziehung, zum Unbewußten, womöglich den Jungschen Archetypen, die in den Collages wie in den automatischen Niederschriften ihre von der Zutat des bewußten Ichs befreite Bildersprache gefunden hätten. So sollen Träume mit den Elementen des Realen umspringen wie seine Verfahrensweise. Ist aber keine Kunst gehalten, sich selbst zu verstehen — und man ist versucht, ihr Selbstverständnis und ihr Gelingen für fast unvereinbar zu halten — dann braucht man auch jener programmatischen und von den Vermittlern wiederholten Auffassung nicht zu parieren. Ohnehin ist das Fatale an der Interpretation von Kunst, auch der philosophisch verantwortlichen, daß sie genötigt ist, Befremdendes, indem sie es auf den Begriff bringt, durch bereits Vertrautes auszudrücken und dadurch wegzuerklären, was einzig der Erklärung bedürfte: so sehr die Kunstwerke ihrer Erklärung harren, so sehr begeht eine jegliche, sei's auch entgegen der eigenen Absicht, ein Stück Verrat an den Konformismus. Wäre in der Tat der Surrealismus nichts anderes als eine Sammlung literarischer und graphischer Illustrationen zu Jung oder selbst Freud, er verdoppelte nicht bloß überflüssig, was die Theorie selber ausspricht, anstatt daß sie es metaphorisch verkleidete, sondern er wäre auch von einer Harmlosigkeit, die kaum Raum ließe für den *Scandal*, den der Surrealismus meint und der sein Lebenselement bildet. Ihn auf die psychologische Traumtheorie nivellieren, unterwirft ihn bereits der Schmach des Offiziellen. Dem versierten: Das ist eine Vaterfigur, gesellt sich das befriedigte: Kennen wir schon, und was bloß Traum sein soll, läßt allemal, wie Cocteau erkannte, die Realität unbeschädigt, mag ihr Bild noch so beschädigt sein.

Jene Theorie verfehlt aber die Sache selbst. So träumt man nicht, keiner träumt so. Dem Traum sind die surrealistischen Gebilde mehr nicht als bloß analog, indem sie die gewohnte Logik und die Spielregeln des empirischen Daseins außer Kraft setzen, dabei aber doch die einzelnen auseinander gesprengten Dinge respektieren, ja all ihren Inhalt, und gerade auch den menschlichen, der Dinggestalt annähern. Es wird zerschlagen, umgruppiert, aber nicht aufgelöst. Gewiß hält es der Traum nicht anders, aber die Dingwelt erscheint doch in ihm unvergleichlich verschleierter, weniger als Realität gesetzt denn im Surrealismus, wo Kunst an der Kunst rüttelt. Das Subjekt, das im Surrealismus weit offener und ungehemmter am Werk ist als in den Träumen, wendet seine Energie gerade an seine Selbstauslöschung, zu der es im Traum keiner Energie bedarf; dadurch aber gerät alles gleichsam objektiver als im Traum, wo das Subjekt, vorweg abwesend, was immer begegnet hinter den Kulissen umfärbt und durchdringt. Die Surrealisten sind selbst unterdessen darauf gekommen, daß man so, wie sie dichten, auch nicht etwa in der psychoanalytischen Situation assoziiert. Übrigens ist die Unwillkürlichkeit selbst der psychoanalytischen Assoziationen keineswegs unwillkürlich. Jeder Analytiker weiß, welcher Mühe und Anstrengung, welchen Willens es bedarf, um des unwillkürlichen Ausdrucks mächtig zu werden, der vermöge solcher Anstrengung bereits in der analytischen Situation, geschweige denn erst in der künstlerischen der Surrealisten sich formt. In den Welttrümmern des Surrealismus kommt nicht das An sich des Unbewußten zutage. Mäße man sie an ihrer Beziehung darauf, die Symbole erwiesen sich als viel zu rationalistisch. Solche Dechiffrierungen spannten die wuchernde Vielfalt des Surrealismus über wenige Leisten, brächten sie auf ein paar dürftige Kategorien wie den Ödipuskomplex, ohne die Gewalt zu erreichen, die wenn nicht stets von den surrealistischen Kunstwerken so doch von deren Idee ausging; so scheint ja auch Freud auf Dali reagiert zu haben.

Nach der europäischen Katastrophe sind die

surrealistischen Schocks kraftlos geworden. Es ist, als hätten sie Paris durch Angstbereitschaft gerettet: der Untergang der Stadt war ihr Zentrum. Will man danach den Surrealismus im Begriff aufheben, so wird man nicht auf Psychologie, sondern auf die künstlerische Verfahrungsweise zurückgehen müssen. Deren Schema sind aber fraglos die Montagen. Leicht ließe sich zeigen, daß auch die eigentlich surrealistische Malerei mit deren Motiven operiert und daß das diskontinuierliche Aneinanderfügen von Bildern in der surrealistischen Lyrik Montagecharakter hat. Diese Bilder stammen aber, wie man weiß, teils buchstäblich, teils dem Geist nach, aus Illustrationen des späteren neunzehnten Jahrhunderts, mit denen die Eltern der Generation von Max Ernst Umgang hatten; schon in den zwanziger Jahren gab es, diesseits des surrealistischen Bereichs, Sammlungen solchen Bildmaterials wie *Our Fathers* von Allan Bott, die an dem surrealistischen Schock — parasitär — teilhatten und dabei dem Publikum zuliebe die Mühe der Verfremdung durch Montage sich ersparten. Die eigentlich surrealistische Praxis jedoch hat jene Elemente mit ungewohnten versetzt. Eben die haben ihnen durch den Schreck das Vertraute, das: Wo habe ich das schon einmal gesehen? verliehen. Man wird also die Affinität zur Psychoanalyse nicht in einer Symbolik des Unbewußten vermuten dürfen, sondern im Versuch, durch

Explosionen Kindheitserfahrungen aufzudecken. Was der Surrealismus den Abbildern der Dingwelt hinzufügt, ist, was uns von der Kindheit verlorenging: so sollen uns als Kindern jene damals selbst schon veralteten Illustrierten angesprungen haben wie jetzt die surrealistischen Bilder. Das subjektive Moment steckt dabei in der Handlung der Montage: diese möchte, vielleicht vergebens, aber der Intention nach unverkennbar, Wahrnehmungen herstellen, so wie sie damals gewesen sein müßten. Das Riesenei, aus dem jeden Augenblick das Monstrum eines jüngsten Tages ausschlüpfen kann, ist so groß, weil wir damals so klein waren, als wir zum ersten Mal vorm Ei erschauerten.

Zu diesem Effekt hilft aber das Veraltete. An Moderne wirkt paradox, daß sie, stets schon im Bann der Immergleichheit von Massenproduktion, überhaupt Geschichte hat. Diese Paradoxie entfremdet sie und wird in den »Kinderbildern der Moderne« zum Ausdruck einer Subjektivität, die mit der Welt auch sich selbst fremd geworden ist. Die Spannung im Surrealismus, die im Schock sich entlädt, ist die zwischen Schizophrenie und Verdinglichung, gerade nicht also eine psychologischer Beseeltheit. Das frei über sich verfügende, jeder Rücksicht auf die empirische Welt ledige, absolut gewordene Subjekt enthüllt sich im Angesicht der totalen Verdinglichung, die es vollends auf sich und seinen Protest zurückwirft, selber als Unbeseeltes, virtuell als das Tote. Die dialektischen Bilder des Surrealismus sind solche einer Dialektik der subjektiven Freiheit im Stande objektiver Unfreiheit. In ihnen erstarrt der europäische Weltschmerz gleich der Niobe, die ihre Kinder verlor; in ihnen schleudert die bürgerliche Gesellschaft die Hoffnung auf ihr Überleben von sich. Kaum zu vermuten, daß einer der Surrealisten die Hegelsche *Phänomenologie* kannte, aber ein Satz daraus, den man zusammendenken muß mit dem allgemeineren von der Geschichte als dem Fortschritt im Bewußtsein der Freiheit, definiert den surrealistischen Gehalt. »Das einzige Werk und Tat der allgemeinen Freiheit ist daher der Tod, und zwar ein Tod, der keinen inneren Umfang und Erfüllung hat.« Die darin gegebene Kritik hat der Surrealismus zur eigenen Sache gemacht; das erklärt seine politischen Impulse wider die Anarchie, die doch wieder mit jenem Gehalt unvereinbar waren. Man hat von dem Hegelschen Satz gesagt, in ihm hebe die Aufklärung sich durch ihre eigene Verwirklichung auf; um keinen geringeren Preis, nicht als eine Sprache der Unmittelbarkeit, sondern als Zeugnis des Rückschlags der abstrakten Freiheit in die Vormacht der Dinge und damit in bloße Natur wird man den Surrealismus begreifen dürfen. Seine Montagen sind die wahren Stilleben. Indem sie Veraltetes auskomponieren, schaffen sie nature morte.

Diese Bilder sind nicht sowohl die eines Inwendigen als vielmehr Fetische — Warenfetische — an die einmal Subjektives, Libido sich heftete. An ihnen, nicht durch die Selbstversenkung, holen sie die Kindheit herauf. Die Modelle des Surrealismus wären die Pornographien. Was in den Collages geschieht, was in ihnen krampfhaft innehält wie der gespannte Zug von Wollust um den Mund, ähnelt den Veränderungen, die eine pornographische Darstellung im Augenblick der Befriedigung des Voyeurs durchmacht. Abgeschnittene Brüste, Beine von Modepuppen in Seidenstrümpfen auf den Collages — das sind Erinnerungsmerkmale jener Objekte der Partialtriebe, an denen einst die Libido aufwachte. Das Vergessene offenbart dinghaft, tot, sich in ihnen als das, was die Liebe eigentlich wollte, dem sie sich selbst gleichmachen will, dem wir gleichen. Verwandt der Photographie ist der Surrealismus als erstarrtes Erwachen. Wohl sind es imagines, die er erbeutet, aber nicht die invarianten, geschichtslosen des unbewußten Subjekts, zu denen die konventionelle Auffassung sie neutralisieren möchte, sondern geschichtliche, in denen das Innerste des Subjekts seiner selbst als dessen Auswendiges, als Nachahmung eines Gesellschaftlich-Geschichtlichen innewird. »Geh Joe, mach die Musik von damals nach.«

Damit aber bildet der Surrealismus das Komplement der Sachlichkeit, mit der gleichzeitig er erstand. Das Grauen, das diese im Sinn des Worts von Adolf Loos vor dem Ornament als Verbrechen empfindet, wird mobilisiert vom surrealistischen Schock. Das Haus hat eine Geschwulst, seinen Erker. Die malt der Surrealismus: aus dem Haus wuchert ein Auswuchs von Fleisch. Die Kinderbilder der Moderne sind der Inbegriff dessen, was die Sachlichkeit mit einem Tabu zudeckt, weil es sie an ihr eigenes dinghaftes Wesen gemahnt und daran, daß sie nicht damit fertig wird, daß ihre Rationalität irrational bleibt. Der Surrealismus sammelt ein, was die Sachlichkeit den Menschen versagt; die Entstellungen bezeugen, was das Verbot dem Begehrten antat. Durch sie errettet er das Veraltete, ein Album von Idiosynkrasien, in denen der Glücksanspruch verraucht, den die Menschen in ihrer eigenen technifizierten Welt verweigert finden. Wenn aber heute der Surrealismus selber obsolet dünkt, so darum, weil die Menschen bereits jenes Bewußtsein der Versagung sich selbst versagen, das im Negativ des Surrealismus festgehalten ward.

Satzzeichen

Je weniger die Satzzeichen, isoliert genommen, Bedeutung oder Ausdruck tragen, je mehr sie in der Sprache den Gegenpol zu den Namen ausmachen, desto entschiedener gewinnt ein jegliches unter ihnen seinen physiognomischen Stellenwert, seinen eigenen Ausdruck, der zwar nicht zu trennen ist von der syntaktischen Funktion, aber doch keineswegs in ihr sich erschöpft. Die Erfahrung des Grünen Heinrich, der, nach dem großen deutschen P befragt, ausruft: das ist der Pumpernickel, gilt erst recht für die Figuren der Interpunktion. Gleicht nicht das Ausrufungszeichen dem drohend gehobenen Zeigefinger? Sind nicht Fragezeichen wie Blinklichter oder ein Augenaufschlag? Doppelpunkte sperren, Karl Kraus zufolge, den Mund auf: weh dem Schriftsteller, der sie nicht nahrhaft füttert. Das Semikolon erinnert optisch an einen herunterhängenden Schnauzbart; stärker noch empfinde ich seinen Wildgeschmack. Dummschlau und selbstzufrieden lecken die Anführungszeichen sich die Lippen.

Alle sind Verkehrssignale; am Ende wurden diese ihnen nachgebildet. Ausrufungszeichen sind rot, Doppelpunkte grün, Gedankenstriche befehlen stop. Aber es war der Irrtum der Georgeschule, sie darum mit Zeichen der Kommunikation zu verwechseln. Vielmehr sind es solche des Vortrags; sie dienen nicht beflissen dem Verkehr der Sprache mit dem Leser, sondern hieroglyphisch einem, der im Sprachinnern sich abspielt, auf ihren eigenen Bahnen. Überflüssig darum, sie als überflüssig einzusparen: dann verstecken sie sich bloß. Jeder Text, auch der dichtest gewobene, zitiert sie von sich aus, freundliche Geister, von deren körperloser Gegenwart der Sprachleib zehrt.

In keinem ihrer Elemente ist die Sprache so musikähnlich wie in den Satzzeichen. Komma und Punkt entsprechen dem Halb- und Ganzschluß. Ausrufungszeichen sind wie lautlose Beckenschläge, Fragezeichen Phrasenhebungen nach oben, Doppelpunkte Dominantseptimakkorde; und den Unterschied von Komma und Semikolon wird nur der recht fühlen, der das verschiedene Gewicht starker und schwacher Phrasierungen in der musikalischen Form wahrnimmt. Vielleicht ist aber die Idiosynkrasie gegen Satzzeichen, die vor fünzig Jahren sich regte und der kein Aufmerksamer sich ganz entziehen wird, gar nicht so sehr Auflehnung gegen ein ornamentales Element, wie daß darin sich niederschlägt, wie heftig Musik und Sprache auseinanderstreben. Kaum jedoch wird man es für Zufall halten können, daß die Berührung der Musik mit sprachlichen Satzzeichen an das Schema der Tonalität gebunden war, das unterdessen zerfiel, und daß man die Mühe der neuen Musik recht wohl als eine um Satzzeichen ohne Tonalität darstellen könnte. Ist aber Musik gezwungen, in Satzzeichen das Bild ihrer Sprachähnlichkeit zu bewahren, so mag die Sprache ihrer Musikähnlichkeit nachhängen, indem sie den Satzzeichen mißtraut.

Der Unterschied zwischen dem griechischen Semikolon, jenem erhöhten Punkt, der der Stimme verwehren will, sich zu senken, und dem deutschen, das mit Punkt und Unterlänge die Senkung vollzieht und gleichwohl, indem es den Beistrich in sich aufnimmt, die Stimme in der Schwebe läßt, wahrhaft ein dialektisches Bild — dieser Unterschied scheint den zwischen der Antike und dem christlichen Zeitalter, der durchs Unendliche gebrochenen Endlichkeit, nachzuahmen; auf die Gefahr hin, daß das heute gebräuchliche griechische Zeichen erst von Humanisten des sechzehnten Jahrhunderts erfunden ward. In den Satzzeichen hat Geschichte sich sedimentiert, und sie ist es weit eher als Bedeutung oder grammatische Funktion, die aus jedem, erstarrt und mit leisem Schauder, herausblickt. Wenig fehlt darum, und man möchte für die wahren Satzzeichen nur die der deutschen Fraktur halten, deren graphisches Bild allegorische Züge bewahrt, und die der Antiqua für bloße säkularisierte Nachbilder.

163

Das geschichtliche Wesen der Satzzeichen kommt daran zutage, daß an ihnen genau das veraltet, was einmal modern war. Ausrufungszeichen sind unerträglich geworden als Gebärde der Autorität, mit der der Schriftsteller von außen her einen Nachdruck zu setzen versucht, den die Sache nicht selbst ausübt, während das musikalische Seitenstück zum Ausrufungszeichen, das Sforzato, heute noch so unentbehrlich ist wie zu Beethovens Zeiten, als es den Einbruch subjektiven Willens ins musikalische Gewebe markierte. Die Ausrufungszeichen aber sind zu Usurpatoren von Autorität, Beteuerungen der Wichtigkeit verkommen. Sie waren es indessen, die einmal die graphische Gestalt des deutschen Expressionismus prägten. Ihre Häufung lehnte sich gegen die Konvention auf und war Symptom der Ohnmacht zugleich, das Sprachgefüge von inner her zu verändern, an dem man stattdessen von außen rüttelte. Sie überleben als Male des Bruchs von Idee und Realisiertem aus jener Epoche, und ihre hilflose Beschwörung errettet sie in der Erinnerung: verzweifelte Schriftgebärde, die vergebens über die Sprache hinausmöchte. In ihr hat der Expressionismus sich verbrannt; mit den Ausrufungszeichen hat er die eigene Wirkung sich gutgeschrieben, und darum ist sie in ihnen verpufft. Sie gleichen, in expressionistischen Texten, heute den Millionenziffern auf Banknoten der deutschen Inflation.

Literarische Dilettanten sind daran kenntlich, daß sie alles miteinander verbinden wollen. Ihre Produkte haken die Sätze durch logische Partikeln ineinander, ohne daß die von jenen Partikeln behauptete logische Beziehung waltete. Wer nichts wahrhaft als Einheit zu denken vermag, dem ist alles unerträglich, was ans Brüchige, Abgesetzte mahnt; erst wer eines Ganzen mächtig ist, weiß um Zäsuren. Die aber lassen sich vom Gedankenstrich lernen. An ihm wird der Gedanke seines Fragmentcharakters inne. Nicht zufällig wird gerade dies Zeichen dort, wo es seinen Zweck erfüllt: wo es trennt, was Verbundenheit vortäuscht, im Zeitalter des fortschreitenden Sprachzerfalls vernachlässigt. Es hält nur noch dazu her, läppisch auf Überraschungen vorzubereiten, die eben dadurch keine mehr sind.

Der ernste Gedankenstrich: sein unübertroffener Meister in der deutschen Literatur des neunzehnten Jahrhunderts war Theodor Storm. Selten sind die Satzzeichen so tief dem Gehalt verschworen wie jene in seinen Novellen, stumme Linien in die Vergangenheit, Falten auf der Stirn der Texte. Die vortragende Stimme fällt mit ihnen in sorgenvolles Schweigen: die Zeit, die sie zwischen zwei Sätze einsprengen, ist eine des lastenden Erbes und hat, kahl und nackt zwischen den angezogenen Ereignissen, etwas vom Unheil des Naturzusammenhangs und von der Scham, daran zu rühren. So diskret versteckt sich der Mythos im neunzehnten Jahrhundert; er sucht Unterschlupf in der Typographie.

Zu den Verlusten, mit denen die Interpunktion am Sprachzerfall teilhat, rechnet der des schräggestellten Strichs, wie er etwa Verse einer Strophe voneinander sondert, die in einem Prosastück zitiert ist. Als Strophe gesetzt, zerrisse sie barbarisch das Sprachgewebe; einfach als Prosa gedruckt, machen Verse einen lächerlichen Effekt, weil Metron und Reim als kalauerhafter Zufall erscheinen; der moderne Gedankenstrich aber ist zu kraß, um zu leisten, was er in dergleichen Fällen leisten sollte. Die Fähigkeit, physiognomisch solche Differenzen wahrzunehmen, ist jedoch die Voraussetzung für jeglichen angemessenen Gebrauch der Satzzeichen.

Die drei Punkte, mit denen man in der Zeit des zur Stimmung kommerzialisierten Impressionismus Sätze bedeutungsvoll offen zu lassen liebte, suggerieren die Unendlichkeit von Gedanken und Assoziation, die eben der Schmock nicht hat, der sich darauf verlassen muß, durchs Schriftbild sie vorzuspiegeln. Reduziert man aber, wie die Georgeschule, jene den unendlichen Dezimalbrüchen der Arithmetik entwendeten Punkte auf die Zahl zwei, so meint man, die fiktive Unendlichkeit ungestraft weiter beanspruchen zu können, indem man, was dem eigenen Sinn nach unexakt sein will, als exakt drapiert. Der Interpunktion des unverschämten Schmocks ist die des verschämten nicht überlegen.

Anführungszeichen soll man nur dort verwenden, wo man etwas anführt, beim Zitat, allenfalls wo der Text von einem Wort, auf das er sich bezieht, sich distanzieren will. Als Mittel der Ironie sind sie zu verschmähen. Denn sie dispensieren den Schriftsteller von jenem Geist, dessen Anspruch der Ironie unabdingbar innewohnt, und freveln an deren eigenem Begriff, indem sie sie von der Sache trennen und das Urteil über diese als vorentschieden hinstellen. Die gehäuften ironischen Anführungszeichen bei Marx und Engels sind Schatten, welche das totalitäre Verfahren vorauswirft über ihre Schriften, die das Gegenteil meinten: der Samen, aus dem schließlich wurde, was Karl Kraus das Moskauderwelsch nannte. Die Gleichgültigkeit gegen den sprachlichen Ausdruck, die in der mechanischen Überantwortung der Intention ans typographische Klischee sich kundgibt, weckt den Verdacht, es sei eben die Dialektik stillgestellt, die den Inhalt der Theorie ausmacht, und das Objekt werde ihr von oben her, verhandlungslos, subsumiert. Dort, wo es überhaupt etwas zu sagen gibt, weist allerorten Indifferenz gegenüber der literarischen Form auf Dogmatisierung des Inhalts. Der blinde

Richtspruch der ironischen Anführungszeichen ist deren graphischer Gestus.

Theodor Haecker erschrak mit Recht darüber, daß das Semikolon ausstirbt: er erkannte darin, daß keiner mehr eine Periode schreiben kann. Dazu gehört die Furcht vor seitenlangen Abschnitten, die vom Markt erzeugt ward; von dem Kunden, der sich nicht anstrengen will und dem erst die Redakteure und dann die Schriftsteller, um ihr Leben zu erwerben, sich anpaßten, bis sie am Ende der eigenen Anpassung Ideologien wie die der Luzidität, der sachlichen Härte, der gedrängten Präzision erfanden. Bei dieser Tendenz lassen aber Sprache und Sache nicht sich trennen. Durch das Opfer der Periode wird der Gedanke kurzatmig. Die Prosa wird auf den Protokollsatz, der Positivisten liebstes Kind, heruntergebracht, auf die bloße Registrierung der Tatsachen, und indem Syntax und Interpunktion des Rechts sich begeben, diese zu artikulieren, zu formen, Kritik an ihnen zu üben, schickt bereits die Sprache sich an, vor dem bloß Seienden zu kapitulieren, ehe nur der Gedanke Zeit hat, diese Kapitulation eifrig von sich aus ein zweites Mal zu vollziehen. Mit dem Verlust des Semikolons fängt es an, mit der Ratifizierung des Schwachsinns durch die von aller Zutat gereinigte Vernünftigkeit hört es auf.

Die Sensibilität des Schriftstellers in der Interpunktion bewährt sich in der Behandlung der Parenthesen. Der Vorsichtige wird dazu neigen, sie zwischen Gedankenstriche zu stellen und nicht in Klammern, denn die Klammer nimmt die Parenthese aus dem Satz ganz heraus, schafft gleichsam Enklaven, während doch nichts, was in guter Prosa vorkommt, dem Gesamtbau entbehrlich sein sollte; mit dem Zugeständnis solcher Entbehrlichkeit geben die Klammern stillschweigend den Anspruch auf die Integrität der sprachlichen Gestalt auf und kapitulieren vor der pedantischen Banausie. Dagegen halten die Gedankenstriche, welche die Parenthese aus dem Fluß herausstauen, ohne sie ins Gefängnis zu sperren, Beziehung und Distanz gleichermaßen fest. Aber wie das blinde Vertrauen auf ihre Kraft, das zu leisten, illusionär wäre, indem es vom bloßen Mittel erwartete, was einzig von Sprache und Sache selber geleistet werden kann, so läßt sich an der Alternative von Gedankenstrichen und Klammern entnehmen, wie hinfällig abstrakte Normen der Interpunktion sind. Proust, den keiner leicht einen Banausen nennen wird und dessen Pedanterie nichts ist als ein Aspekt seiner großartigen mikrologischen Kraft, hat unbedenklich mit Klammern gearbeitet, vermutlich, weil in den großen Perioden die Parenthesen so lang gerieten, daß ihre bloße Länge die Gedankenstriche annulliert hätte. Sie bedürfen festerer

Dämme, um nicht die ganze Periode zu überfluten und jenes Chaos zu bereiten, dem jede dieser Perioden atemlos abgezwungen ward. Das Recht für den Proustschen Interpunktionsgebrauch liegt aber einzig beim Ansatz seines gesamten Romanwerkes: daß der Schein des Kontinuums der Erzählung durchbrochen wird, daß durch alle seine Fenster der asoziale Erzähler hineinzuklettern bereit ist, um den dunklen temps durée mit der Blendlaterne der gar nicht so unwillkürlichen Erinnerung zu beleuchten. Seine eingeklammerten Parenthesen, die wie das Schriftbild so den Vortrag unterbrechen, sind Denkmäler der Augenblicke, da der Autor, müde des ästhetischen Scheins und mißtrauisch gegen die Selbstgenügsamkeit der Vorgänge, die er doch ohnehin nur aus sich hervorspinnt, offen die Zügel ergreift.

Den Satzzeichen gegenüber befindet der Schriftsteller sich in permanenter Not; wäre man beim Schreiben seiner selbst ganz mächtig, man fühlte die Unmöglichkeit, je eines richtig zu setzen, und gäbe das Schreiben ganz auf. Denn die Anforderungen der Regeln der Interpunktion und des subjektiven Bedürfnisses von Logik und Ausdruck lassen sich nicht vereinen: in den Satzzeichen geht der Wechsel, den der Schreibende auf die Sprache zieht, zu Protest. Weder kann er den vielfach starren und groben Regeln sich anvertrauen, noch kann er sie ignorieren, wenn er nicht einer Art Eigenkleidung verfallen und durch die Pointierung des Unscheinbaren — und Unscheinbarkeit ist das Lebenselement der Interpunktion — deren Wesen verletzen will. Umgekehrt aber darf er, wenn er es ernst meint, nichts von dem, was er sucht, einem Allgemeinen opfern, mit dem kein Schreibender heute sich ganz und gar identisch fühlen kann und mit dem er sich überhaupt nur um den Preis des Archaisierens gleichzusetzen vermöchte. Jedesmal ist der Konflikt auszutragen, und man braucht viel Kraft oder viel Dummheit, um darüber nicht den Mut zu verlieren. Zu raten wäre allenfalls, man solle mit den Satzzeichen umgehen wie Musiker mit verbotenen Fortschreitungen der Harmonien und Stimmen. Einer jeden Interpunktion, wie einer jeden solchen Fortschreitung, läßt sich anmerken, ob sie eine Intention trägt oder bloß schlampt; und, subtiler, ob der subjektive Wille die Regel brutal durchbricht oder ob das wägende Gefühl sie behutsam mitdenkt und mitschwingen läßt, wo er sie suspendiert. Das wird sich besonders an den unscheinbarsten Zeichen erweisen, den Kommata, deren Beweglichkeit sich am ehesten dem Ausdruckswillen anschmiegt, die aber gerade in solcher Nähe zum Subjekt die Tücke des Objekts entfalten und besonders empfindlich werden mit Ansprüchen, die man ihnen kaum zutraut. Jedenfalls wird heute wohl der am besten fahren, der an die Regel: besser zuwenig als zuviel, sich hält. Denn die Satzzeichen, welche die Sprache artikulieren und damit die Schrift der Stimme anähneln, haben durch ihre logisch-semantische Verselbständigung von dieser doch gleich aller Schrift sich geschieden und geraten in Konflikt mit ihrem eigenen mimetischen Wesen. Davon sucht der asketische Gebrauch der Satzzeichen etwas gutzumachen. Jedes behutsam vermiedene Zeichen ist eine Reverenz, welche die Schrift dem Laut darbringt, den sie erstickt.

Der Artist als Statthalter

Die Rezeption Paul Valérys in Deutschland, die bis heute nicht recht gelang, stellt darum vor besondere Schwierigkeiten, weil sein Anspruch vorab auf dem lyrischen Werk beruht. Kaum bedarf es eines Wortes, daß Lyrik in eine fremde Sprache nicht entfernt so transponiert werden kann wie Prosa; ganz gewiß nicht die unerbittlich gegen jede Kommunikation mit einer vorgestellten Leserschaft abgedichtete poésie pure des Mallarmé-Schülers. Mit Recht hat gerade George gesagt, es sei überhaupt nicht die Aufgabe der Übersetzung von Lyrik, einen fremdländischen Verfasser einzuführen, sondern ihm in der eigenen Sprache ein Denkmal zu errichten oder, wie der Gedanke von Benjamin gewandt ward, die eigene Sprache durch den Einbruch des fremden Dichtwerks zu erweitern und zu steigern. Immerhin ist trotzdem, oder vielleicht gerade wegen der Intransigenz seines großen Übersetzers, Baudelaire aus dem geschichtlichen Material der deutschen Literatur nicht wegzudenken. Nichts dergleichen bei Valéry; übrigens blieb auch bereits Mallarmé Deutschland wesentlich verschlossen. Wenn die Auswahl Valéryscher Verse, an der Rilke sich versucht hat, nichts von dem leistete, was den großen Übersetzungswerken von George, auch etwa den Borchardtschen Swinburne-Übertragungen gelang, so liegt das nicht nur an der Sprödigkeit des Gegenstandes. Rilke hat das Grundgesetz jeglicher legitimen Übertragung, die Treue zum Wort, verletzt und ist gerade Valéry gegenüber in eine Übung des ungefähren Nachdichtens zurückgefallen, die weder dem Modell Gerechtigkeit widerfahren läßt, noch kraft dessen strenger Abbildung sich in sich selbst zur vollen Freiheit erhebt. Man braucht nur Rilkes Version eines der berühmtesten und in der Tat schönsten Gedichte von Valéry, *Les Pas,* mit dem Original zu vergleichen, um zu sehen, welcher Unstern über dem Rencontre waltete.

Nun besteht aber, wie man weiß, das Valérysche Werk keineswegs bloß in Lyrik, sondern auch in Prosa wahrhaft kristallinischer Art, die sich auf dem schmalen Grat zwischen ästhetischer Gestaltung und Reflexion über die Kunst provokativ bewegt. In Frankreich finden sich höchst kompetente Beurteiler, unter ihnen Gide, die diesem Teil von Valérys Produktion sogar das größere Gewicht zusprechen. In Deutschland ist auch sie, abgesehen von *Monsieur Teste* und *Eupalinos,* bis heute kaum erfahren worden. Wenn ich hier auf eines der Prosabücher zu sprechen komme, so geschieht das nicht bloß, um dem bekannten Namen eines unbekannten Autors etwas von der Resonanz zu erbitten, um die er nicht zu bitter brauchte, sondern um mit der sachlichen Kraft, die seinem Werke innewohnt, der sturen Antithese von engagierter und reiner Kunst zu Leibe zu rücken. Sie ist ein Symptom der verhängnisvollen Tendenz zur Stereotypie, zum Denken in starren und schematischen Formeln, wie sie die Kulturindustrie allenthalben hervorbringt und wie sie längst auch ins Bereich der ästhetischen Erwägung eingedrungen ist. Die Produktion droht sich zu polarisieren in die sterilen Verwalter der Ewigkeitswerte auf der einen Seite und auf der anderen die Unheilsdichter, von denen man schon manchmal nicht mehr weiß, ob ihnen nicht die Konzentrationslager als Begegnung mit dem Nichts ganz recht sind. Ich möchte zeigen, welcher geschichtliche und gesellschaftliche Inhalt gerade dem Werke Valérys innewohnt, das jeden Kurzschluß zur Praxis sich versagt; ich möchte deutlich machen, daß das Beharren auf der Formimmanenz des Kunstwerks nicht zu tun haben muß mit dem Anpreisen unveräußerlicher, aber lädierter Ideen und daß in solcher Kunst und in dem Gedanken, der an ihr sich nährt und ihr gleicht, tieferes Wissen von historischen Veränderungen des Wesens sich kundgeben kann als in Äußerungen, die so behend es auf die Veränderung der Welt abgesehen haben, daß ihnen die lastende Schwere eben der Welt zu entgleiten droht, die es zu verändern gilt.

Das Buch, das ich meine, ist leicht zugänglich.

Es ist in der Bibliothek Suhrkamp erschienen und trägt den deutschen Titel *Tanz, Zeichnung und Degas.* Die Übertragung stammt von Werner Zemp. Sie ist ansprechend, auch wenn sie nicht stets die mit unendlicher Anstrengung errungene Grazie des Valéryschen Textes so hintergründig wiedergibt, wie sie es erheischt. Aber es ist dafür doch das Element des Leichten als solches, das Arabeskenhafte, und dessen paradoxes Verhältnis zu den aufs äußerste belasteten Gedanken bewahrt; zumindest der Schrecken der Unverständlichkeit wird von dem Bändchen kaum ausgehen. Neid erregt Valérys Fähigkeit, die subtilsten und schwierigsten Erfahrungen spielerisch, schwerelos zu formulieren, so wie er es zu Beginn des Degas-Buchs sich selbst als Programm setzt: »Wie ein etwas zerstreuter Leser seinen Bleistift an den Rändern eines Buches spazierenführt, dank seiner Zerstreutheit und der Laune des Stifts, kleine Figuren oder unbestimmtes Schnörkelwerk neben den gedruckten Text kritzelt, so will ich das Folgende nach Einfall und Belieben an den Rand dieser paar Studien von Edgar Degas schreiben. Ich begleite diese Bilder mit ein wenig Text, der nicht unbedingt gelesen zu werden braucht, oder doch nicht unbedingt in einem Zug, und der nur einen ganz losen Zusammenhang mit diesen Zeichnungen hat, ja in überhaupt keiner unmittelbaren Beziehung zu ihnen steht.« (7) Diese Fähigkeit Valérys ist nicht billig auf die stets wieder als Lückenbüßer bemühte romanische Formbegabung, nicht einmal auf seine eigene exzeptionelle zurückzuführen. Sie wird gespeist von seinem unermüdlichen Drang zum Objektivieren und, mit Cézannes Wort, Realisieren, der kein Dunkles, Unaufgehelltes, Ungelöstes duldet; dem die Transparenz nach außen zum Maß des Gelingens im Innern selbst wird.

Um so eher könnte man wohl Anstoß daran nehmen, wenn ein Philosoph über ein Buch spricht, das ein esoterischer Dichter über einen vom Handwerk besessenen Maler geschrieben hat. Ich möchte dies Bedenken lieber vorweg erörtern, als es naiv provozieren; um so mehr als dabei ein Zugang zur Sache selbst sich eröffnet. Ich halte es nicht für meine Aufgabe, über Degas mich zu äußern, und fühle mich dieser Aufgabe auch nicht gewachsen. Die Gedanken von Valéry, auf die ich hinweisen möchte, greifen allesamt über den großen impressionistischen Maler hinaus. Aber sie sind gewonnen vermöge jener Nähe zum künstlerischen Objekt, deren nur fähig ist, wer selbst in äußerster Verantwortung produziert. Große Einsichten in die Kunst geraten überhaupt entweder in absoluter Distanz, aus der Konsequenz des Begriffs, ungestört vom sogenannten Kunstverständnis, wie bei Kant oder auch Hegel, oder in solcher absoluten Nähe, der Haltung dessen, der hinter den Kulissen steht, der nicht Publikum ist, sondern das Kunstwerk mitvollzieht unter dem Aspekt des Machens, der Technik. Der mittlere, sich einfühlende Kunstverständige, der Mann mit Geschmack ist zumindest heute und wahrscheinlich schon stets in Gefahr, die Kunstwerke zu verfehlen, indem er sie zu Projektionen seiner Zufälligkeit erniedrigt, anstatt ihrer objektiven Disziplin sich zu unterwerfen, Valéry bietet den fast einzigartigen Fall des zweiten Typus, dessen, der vom Kunstwerk durchs métier, den präzisen Arbeitsprozeß weiß, in dem aber dieser Prozeß sogleich so glücklich sich reflektiert, daß er in die theoretische Einsicht umschlägt, in jene gute Allgemeinheit, die nicht das Besondere fortläßt, sondern es in sich bewahrt und es aus der Kraft der eigenen Bewegung ins Verbindliche treibt. Er philosophiert nicht über Kunst, sondern durchbricht, im gleichsam fensterlosen Vollzug des Gestaltens selber, die Blindheit des Artefakts. So drückt er etwas von der Verpflichtung aus, die jeglicher ihrer selbst bewußten Philosophie heute auferlegt ist; derselben Verpflichtung, die am entgegengesetzten Pol, dem spekulativen Begriff, in Deutschland vor hundertundvierzig Jahren von Hegel erreicht war. Das zur äußersten Konsequenz gesteigerter l'art pour l'art-Prinzip transzendiert bei Valéry sich selber, treu dem Satz der *Wahlverwandtschaften*, daß alles in seiner Art Vollkommene über seine Art hinausweise. Der Vollzug des dem Kunstwerk selbst streng immanenten geistigen Prozesses heißt zugleich: Blindheit und Befangenheit des Kunstwerks überwinden. Nicht umsonst haben Valérys Gedanken immer wieder um Lionardo da Vinci gekreist, in dem zu Beginn der Epoche eben jene Identität von Kunst und Erkenntnis unvermittelt gesetzt ist, die am Ende, durch hundert Vermittlungen hindurch, in Valéry zum großartigen Selbstbewußtsein gefunden hat. Das Paradoxon, um welches das Valérysche Werk geordnet ist und das auch im Degas-Buch immer wieder sich anmeldet, ist nichts anderes, als daß mit jeder künstlerischen Äußerung und mit jeder Erkenntnis der Wissenschaft der ganze Mensch und das Ganze der Menschheit gemeint sei, daß aber diese Intention nur durch selbstvergessene und bis zum Opfer der Individualität, zur Selbstpreisgabe des je einzelnen Menschen an rücksichtslos gesteigerte Arbeitsteilung sich verwirklichen lasse.

Diesen Gedanken trage ich nicht willkürlich in Valéry hinein. »Das, was ich ›Große Kunst‹ nenne, ist, mit einem Wort, die Kunst, die gebieterisch alle Fähigkeiten eines Menschen für sich beansprucht und deren Werke so sind, daß alle Fähigkeiten eines anderen sich von ihnen angesprochen fühlen und aufgeboten werden müssen, um sie zu begreifen...« (138) Eben das wird, mit einem düsteren geschichtsphilosophischen Seitenblick, auch vom Künstler selber gefordert, vielleicht gerade in Erinnerung an Lionardo:

»Hier wird nun mehr als einer ausrufen, was schon daran liege! Ich meinerseits glaube, es ist wichtig genug, daß an der Hervorbringung des Kunstwerks der ganze Mensch sich beteiligt. Aber wie ist es nur möglich, daß das, was man heute ohne weiteres glaubt vernachlässigen zu dürfen, ehemals so wichtig genommen wurde? Ein Liebhaber, ein Kenner aus der Zeit von Julius II. oder Ludwig XIV. wäre höchlichst erstaunt, vernehmen zu müssen, daß beinahe alles, was ihm an der Malerei wesentlich erschien, heutzutage nicht nur vernachlässigt wird, sondern für die Absichten des Malers und für die Ansprüche des Publikums völlig belanglos ist. Ja, je verfeinerter dieses Publikum ist, desto fortgeschrittener, das heißt: desto weiter entfernt ist es von jenen früheren Idealen. Aber es ist der gesamte Mensch, von dem man sich solchermaßen entfernt. Der Vollmensch stirbt aus.« (135/6) Es bleibt dahingestellt, ob der Ausdruck Vollmensch, der peinliche Assoziationen mit sich führt, die angemessene Übersetzung des von Valéry Gemeinten bietet; jedenfalls aber zielt er auf den ungeteilten Menschen, den, dessen Reaktionsweisen und Fähigkeiten nicht selber nach dem Schema der gesellschaftlichen Arbeitsteilung voneinander gerissen, einander entfremdet, zu verwertbaren Funktionen geronnen sind.

Aber Degas, dessen Ungenügsamkeit im Anspruch an sich selbst, Valéry zufolge, auf diese

Idee der Kunst hinausläuft, wird von ihm als das äußerste Gegenteil eines Universalgenies dargestellt, obwohl der Maler nicht nur, wie man weiß, als Plastiker arbeitete, sondern auch Sonette schrieb, über die es zu denkwürdigen Kontroversen mit Mallarmé kam. Valéry sagt von ihm: »Die Arbeit, das Zeichnen waren bei ihm zur Leidenschaft geworden, einer strengen Übung, Gegenstand einer Mystik und einer Ethik, die sich selber genügten, zu einem höchsten Anliegen, das jeden anderen Belang schlechterdings aufhob, einem Anstoß nie gelöster, genau umrissener Aufgaben, die ihn jeder weiteren Neugierde entband. Er war Spezialist und wollte es sein, in einem Bereich, der sich bis zu einer gewissen Universalität zu steigern vermag.« (114) Solche Steigerung des Spezialistentums zur Universalität, die verrannte Intensivierung der arbeitsteiligen Produktion enthält nach Valéry das Potential einer möglichen Gegenwirkung gegen jenen Zerfall der menschlichen Kräfte – im jüngsten Sprachgebrauch der Psychologie würde man sagen: der Ichschwäche – dem Valérys Spekulation nachhängt. Er führt eine Äußerung des siebzigjährigen Degas an: »»Man muß eine hohe Meinung haben, nicht sowohl von dem, was man im Augenblick macht, als vielmehr von dem, was man eines Tages wird machen können; ohne das verlohnt es sich nicht, zu arbeiten.‹« (114) Das interpretiert Valéry: »So spricht der echte Stolz,

Gegengift jeder Eitelkeit. Wie der Spieler fieberhaft seinen Partien nachsinnt, nachts vom Gespenst des Schachbretts oder des Spieltisches, auf den die Karten fallen, heimgesucht, von taktischen Kombinationen und ebenso spannenden wie nichtigen Lösungen bedrängt wird, so auch der Künstler, der wesentlich Künstler ist. Ein Mensch, der nicht ständig von einer derart heftig ihn erfüllenden Gegenwart sich belagert fühlt, ist ein Mensch ohne Bestimmung: ein brachliegendes Erdreich. Die Liebe, ohne Zweifel, und der Ehrgeiz sowie die Habgier beanspruchen viel Raum in einem Menschenleben. Aber das Vorhandensein eines sicheren Ziels und die damit verbundene Gewißheit, daß es näher oder ferner, erreicht oder nicht erreicht ist, ziehen diesen Leidenschaften bestimmte Grenzen. Dagegen rückt der Wunsch, etwas zu schaffen, wovon eine größere Macht oder Vollkommenheit ausgehen soll, als wir sie uns selber zutrauen, den betreffenden, jedem irdischen Augenblick entschlüpfenden und sich versagenden Gegenstand von uns ab in unendliche Fernen. Jeder Fortschritt unsererseits entrückt ihn ebensosehr, als er ihn verschönert. Die Vorstellung, die Technik einer Kunst völlig zu beherrschen, dereinst in der Lage zu sein, über ihre Mittel ebenso sicher und mühelos verfügen zu können, wie man über den normalen Gebrauch seiner Sinne und Glieder verfügt, gehört zu jenen Wunschbildern, auf die gewisse

Menschen mit einer unendlichen Beharrlichkeit, unendlichen Aufwendungen, Übungen, Qualen reagieren müssen.« (114/6) Und Valéry faßt die Paradoxie des universalen Spezialistentums zusammen: »Flaubert, Mallarmé, jeder auf seinem Gebiet und auf seine Weise, sind literarische Beispiele für das völlige Aufgehen eines Lebens im Dienste des alles umfassenden imaginären Anspruchs, den sie der Kunst des Schreibens beimaßen.« (116)

Ich darf an meine Behauptung erinnern, daß dem berüchtigten Artisten und Ästheten Valéry tiefere Einsicht in das gesellschaftliche Wesen von Kunst zufällt als der Doktrin ihrer unmittelbaren praktisch-politischen Nutzanwendung. Man mag das hier erhärtet finden. Denn die Theorie vom engagierten Kunstwerk, wie sie heute gang und gäbe ist, setzt sich über die in der Tauschgesellschaft unabdingbar herrschende Tatsache der Entfremdung zwischen den Menschen sowohl wie zwischen dem objektiven Geist und der Gesellschaft, die er ausdrückt und richtet, umstandslos hinweg. Sie will, daß die Kunst unmittelbar zu den Menschen spreche, als ließe sich in einer Welt universaler Vermittlung das Unmittelbare unmittelbar realisieren. Gerade damit aber degradiert sie Wort und Gestalt zum bloßen Mittel, zum Element des Wirkungszusammenhangs, zur psychologischen Manipulation und höhlt die Stimmigkeit und Logik des Kunstwerks aus, das nicht mehr nach dem Gesetz der eigenen Wahrheit sich entfalten, sondern die Linie des geringsten Widerstands bei den Konsumenten verfolgen soll. Valéry ist aktuell und das Widerspiel jenes Ästheten, zu dem ihn das vulgäre Vorurteil stempelt, weil er dem kurzatmigpragmatischen Geist den Anspruch der unmenschlichen Sache um des Menschlichen willen entgegensetzt. Daß aber die Arbeitsteilung nicht durch ihre Verleugnung, daß die Kälte der rationalisierten Welt nicht durch empfohlene Irrationalität sich bannen läßt, ist eine gesellschaftliche Wahrheit, die durch den Faschismus aufs nachdrücklichste demonstriert worden ist. Durch ein Mehr, nicht durch ein Weniger an Vernunft lassen die Wunden sich heilen, welche das Werkzeug Vernunft im unvernünftigen Ganzen der Menschheit schlägt.

Dabei hat Valéry weder naiv die Position des vereinsamten und entfremdeten Künstlers hingenommen, noch von der Geschichte abstrahiert, noch sich Illusionen gemacht über den gesellschaftlichen Prozeß, der in der Entfremdung terminierte. Gegen die Pächter der privaten Innerlichkeit, die Schlauheit, die oft genug ihre Funktion auf dem Markt erfüllt, indem sie die Reinheit dessen vorspiegelt, der nicht nach rechts und nicht nach links blickt, zitiert er einen sehr schönen Satz von Degas: »Wieder einer jener Eremiten, die wissen, wann der nächste Zug ab-

geht.«« (129) Mit aller Härte, ohne alle ideologische Zutat, wie kein Theoretiker der Gesellschaft es rücksichtsloser vermöchte, spricht Valéry
den Widerspruch der künstlerischen Arbeit als
solcher zu den heute herrschenden gesellschaftlichen Bedingungen der materiellen Produktion
aus. Er zeiht, wie in Deutschland vor mehr als
hundert Jahren Karl August Jochmann, die Kunst
selber des Archaismus: »Bisweilen kommt mir der
Gedanke, die Arbeit des Künstlers sei eine Arbeit noch ganz urtümlicher Art; der Künstler selber etwas Überlebtes; zu einer im Aussterben
begriffenen Klasse von Arbeitern oder Hand-
werkern gehörig, die unter Anwendung höchst
persönlicher Methoden und Erfahrungen Heim-
arbeit verrichtet; im vertrauten Durcheinander
ihrer Werkzeuge lebt, blind für ihre Umgebung,
nur sieht, was sie sehen will; die zerschlagene
Töpfe, häuslichen Eisenkram und sonstiges über-
zähliges Zeug ihren Zwecken dienstbar macht...
Ob dieser Zustand sich je ändert und man vielleicht anstelle des wunderlichen Wesens, das mit
so weitgehend vom Zufall abhängigem Werkzeug sich behilft, dereinst einen peinlich in Weiß
gekleideten, mit Gummihandschuhen versehenen
Herrn in seinem Mal-Laboratorium antreffen
wird, der sich an einen strikten Stundenplan hält,
über streng spezialisierte Apparate und ausge-
suchte Instrumente verfügt: jedes an seinem Platz,
jedes einer bestimmten Verwendung vorbehal-

ten? . . . Bis jetzt freilich ist der Zufall aus unserem Tun noch nicht ausgeschaltet, so wenig als das Geheimnis aus der Technik, die Trunkenheit aus dem Stundenplan; aber ich möchte mich für nichts verbürgen.« (33/4) Man könnte wohl Valérys ironisch vorgetragene ästhetische Utopie als den Versuch bezeichnen, dem Kunstwerk die Treue zu halten und es zugleich durch Änderung der Verfahrungsweisen von der Lüge zu befreien, von der alle Kunst, und die Lyrik zumal, entstellt scheint, die unter den herrschenden technologischen Bedingungen sich regt. Der Künstler soll sich zum Instrument umschaffen: selbst zum Ding werden, wenn er nicht dem Fluch des Anachronismus inmitten einer verdinglichten Welt verfallen will. Valéry faßt den zeichnerischen Vorgang zusammen in dem Satz: »Der Künstler tritt vor und tritt zurück, er neigt sich bald nach dieser, bald nach jener Seite, er blinzelt, er benimmt sich, als sei sein gesamter Körper nur ein Zubehör seiner Augen, er selber vom Scheitel bis zur Sohle ein bloßes Instrument im Dienste des Zielens, Punktierens, Linierens, Präzisierens.« (67) Damit rückt Valéry jener unendlich verbreiteten Vorstellung vom Wesen des Kunstwerks zuleibe, die es, nach dem Muster des Privateigentums, dem gutschreibt, der es hervorgebracht hat. Er weiß besser als jeder andere, daß dem Künstler von seinem Gebilde nur das wenigste »gehört«; daß in Wahrheit der künstlerische

186

Produktionsprozeß, und damit auch die Entfaltung der im Kunstwerk beschlossenen Wahrheit, die strenge Gestalt einer von der Sache erzwungenen Gesetzmäßigkeit hat, und daß ihr gegenüber die viel berufene schöpferische Freiheit des Künstlers nicht ins Gewicht fällt. Damit begegnet er sich mit einem anderen, ähnlich konsequenten, auch ähnlich unbequemen Künstler seiner Generation, Arnold Schönberg, der noch in seinem letzten Buch *Style and Idea* entwickelt, daß große Musik in der Einlösung von »obligations«, von Verpflichtungen bestünde, die der Komponist gleichsam mit der ersten Note eingehe. Im gleichen Geiste sagt Valéry: »Auf allen Gebieten ist der wahrhaft starke Mensch derjenige, der am besten einsieht, daß einem nichts geschenkt ist, daß alles gemacht, daß alles erkauft werden muß; und der zittert, wenn er keine Widerstände spürt; der sie sich selber schafft ... Bei ihm ist die Form ein begründeter Entscheid.« (120) In Valérys Ästhetik waltet eine Metaphysik der Bürgerlichkeit. Am Ende der bürgerlichen Epoche will er die Kunst vom traditionellen Fluch ihrer Unehrlichkeit reinigen, sie rechtschaffen machen. Er mutet ihr zu, daß sie die Schulden bezahle, in die unabdingbar jedes Kunstwerk sich stürzt, indem es als wirklich sich setzt, ohne wirklich zu sein. Zweifel sind daran erlaubt, ob Valérys und Schönbergs Vorstellung vom Kunstwerk als einer Art von Tauschvorgang die ganze

Wahrheit, ob sie nicht eben jener Verfassung des Daseins hörig sei, mit der nicht mitzuspielen doch eben von Valérys Konzeption gefordert wird. Aber es liegt ein Befreiendes in dem Selbstbewußtsein, das schließlich die bürgerliche Kunst von sich als bürgerlicher erringt, sobald sie sich ernst nimmt wie die Realität, die sie nicht ist. Die Geschlossenheit des Kunstwerks, die Notwendigkeit seines Gepräges in sich soll es von der Zufälligkeit heilen, durch die es hinter Zwang und Gewicht des Wirklichen zurücksteht. Im Moment der objektiven Verpflichtung, nicht in einem Verwischen der Grenze der Bereiche ist die Affinität der Valéryschen Kunstphilosophie zur Wissenschaft zu suchen und nicht zuletzt seine Wahlverwandtschaft mit Lionardo.

Seine Pointierung von Technik und Rationalität gegenüber der bloßen Intuition, die es einzuholen gilt; die Hervorhebung des Prozesses gegenüber dem ein- für allemal fertigen Werk läßt sich aber ganz verstehen nur auf dem Hintergrund von Valérys Urteil über die breiten Entwicklungstendenzen der neueren Kunst. In dieser gewahrt er ein Zurücktreten der konstruktiven Kräfte, ein sich Überlassen an die sinnliche Rezeptivität — kurz in Wahrheit eben die Schwächung der menschlichen Kräfte, des Gesamtsubjekts, auf das er alle Kunst bezieht. Die Worte, die er, abschiednehmend, der Dichtung und Malerei der impressionistischen Ära widmet, können in Deutschland vielleicht am ehesten verstanden werden, wenn man sie auf Richard Wagner und Strauß anwendet, deren Signalement sie ungewollt entwerfen: »Eine Beschreibung setzt sich aus Sätzen zusammen, die man, im allgemeinen, miteinander vertauschen kann: ich vermag ein Zimmer vermittels einer Reihe von Sätzen zu schildern, deren Aufeinanderfolge beinahe belanglos ist. Der Blick schweift, wie er will. Nichts ist natürlicher und der ›Wahrheit‹ näher als dieses Schweifen, denn ... die ›Wahrheit‹ ist das vom Zufall Gegebene ... Aber wenn dieses unverbindliche Ungefähr, samt der daraus sich ergebenden Gewöhnung zur Leichtigkeit, in den Werken vorzuherrschen beginnt, so dürfte es die Schriftsteller schließlich dazu bringen, aller Abstraktion zu entsagen, ebenso wie es den Leser noch der geringsten Verpflichtung zur Aufmerksamkeit entbinden wird, um ihn einzig und allein für Augenblickswirkungen empfänglich zu machen, für die überzeugende Gewalt des Schocks ... Diese Art von Kunstschaffen, die prinzipiell wohl zu verantworten ist und der wir so manche wunderschönen Dinge zu danken haben, führt indessen gleicherweise wie der mit der Landschaft getriebene Mißbrauch zu einer Schwächung der geistigen Seite der Kunst.« (135) Und kurz danach noch grundsätzlicher: »Die moderne Kunst sucht fast ausschließlich die sinnenhafte Seite unseres Empfindungsvermögens auszuwerten auf

Kosten der allgemeinen oder gemüthaften Sensibilität, auf Kosten auch unserer konstruktiven Kräfte, sowie unserer Befähigung, Zeitintervalle zu addieren und mit Hilfe des Geistes Umformungen zu vollziehen. Sie versteht es ausgezeichnet, Aufmerksamkeit zu erregen, und verwendet alle Mittel, um sie zu erregen: Höchstspannungen, Kontraste, Rätsel, Überraschungen. Bisweilen gewinnt sie dank ihren subtilen Mitteln oder der Kühnheit der Ausführung sehr kostbare Beute: höchst verwickelte oder höchst flüchtige Zustände, irrationale Werte, eben erst aufkeimende Empfindungen, Resonanzen, Übereinstimmungen, Ahnungen von ungewisser Tiefe... Aber diese Gewinne wollen bezahlt sein.« (136/7)

Hier erst enthüllt sich ganz der objektive gesellschaftliche Wahrheitsgehalt Valérys. Er setzt die Antithese zu den anthropologischen Veränderungen unter der spätindustriellen, von totalitären Regimes oder Riesenkonzernen gesteuerten Massenkultur, die die Menschen zu bloßen Empfangsapparaten, Bezugspunkten von conditioned reflexes reduziert und damit den Zustand blinder Herrschaft und neuer Barbarei vorbereitet. Die Kunst, die er den Menschen, wie sie sind, entgegenhält, meint Treue zu dem möglichen Bilde vom Menschen. Das Kunstwerk, welches das äußerste von der eigenen Logik und der eigenen Stimmigkeit wie von der Konzentration des Aufnehmenden verlangt, ist ihm Gleichnis des seiner selbst mächtigen und bewußten Subjekts, dessen, der nicht kapituliert. Nicht umsonst zitiert er mit Enthusiasmus eine Äußerung von Degas gegen die Resignation. Sein Gesamtwerk ist ein einziger Protest gegen die tödliche Versuchung, es sich leicht zu machen, indem man dem ganzen Glück und der ganzen Wahrheit entsagt. Lieber am Unmöglichen zugrunde gehen. Die dicht organisierte, lückenlos gefügte und gerade durch ihre bewußte Kraft ganz versinnlichte Kunst, der er nachhängt, läßt sich kaum realisieren. Aber sie verkörpert die Resistenz gegen den unsäglichen Druck, den das bloß Seiende übers Menschliche ausübt. Sie steht ein für das, was wir einmal sein könnten. Sich nicht verdummen, sich nicht einlullen lassen, nicht mitlaufen: das sind die sozialen Verhaltensweisen, die im Werk Valérys sich niedergeschlagen haben, das sich weigert, das Spiel der falschen Humanität, des sozialen Einverständnisses mit der Entwürdigung des Menschen, mitzuspielen. Kunstwerke konstruieren heißt ihm: dem Opiat sich verweigern, in das die große sinnliche Kunst seit Wagner, Baudelaire und Manet sich verwandelt hat; die Schmach abzuwehren, welche die Werke zu Medien und die Konsumenten zu Opfern psychotechnischer Behandlung macht.

Es geht um das gesellschaftliche Recht des als Esoteriker rubrizierten Valéry, um das, womit sein Werk einen jeglichen betrifft, auch und gerade weil er es verschmäht, irgend jemandem nach dem Munde zu reden. Aber einen Einwand erwarte ich und ich möchte ihn nicht leicht nehmen. Man kann fragen, ob nicht in Valérys Werk und Philosophie, nach dem was geschehen ist und weiter droht, Kunst selber maßlos überschätzt sei; ob er nicht deswegen doch jenem neunzehnten Jahrhundert angehöre, für dessen ästhetische Unzulänglichkeit er ein so hellsichtiges Organ hatte. Weiter kann man fragen, ob er nicht, trotz der objektiven Wendung der Interpretation des Kunstwerks, eine Künstlermetaphysik oktroyiere, etwa wie Nietzsche. Ob Valéry, oder auch Nietzsche, die Kunst überschätzt haben, wage ich nicht zu entscheiden. Wohl aber möchte ich, zum Ende, etwas sagen über die Frage der Künstlermetaphysik. Das ästhetische Subjekt Valérys, mag es nun er selber sein oder Lionardo oder Degas, ist nicht Subjekt in dem primitiven Sinn des Künstlers, der sich ausdrückt. Die ganze Valérysche Konzeption richtet sich gegen diese Vorstellung. gegen die Inthronisierung des Genies, wie sie insbesondere in der deutschen Ästhetik seit Kant und Schelling so tief eingewurzelt ist. Das, was er vom Künstler verlangt, die technische Selbsteinschränkung, die Unterwerfung unter die Sache, gilt nicht der Einschränkung sondern der Erweiterung. Der Künstler, der das Kunstwerk trägt, ist nicht der je Einzelne, der es hervorbringt, sondern durch seine Arbeit, durch passive Aktivität wird er zum Statthalter des gesellschaftlichen Gesamtsubjekts. Indem er der Notwendigkeit des Kunstwerks sich unterwirft, eliminiert er aus diesem alles, was bloß der Zufälligkeit seiner Individuation sich verdanken könnte. In solcher Stellvertretung des gesamtgesellschaftlichen Subjekts aber, eben jenes ganzen, ungeteilten Menschen, an den Valérys Idee vom Schönen appelliert, ist zugleich ein Zustand mitgedacht, der das Schicksal der blinden Vereinzelung tilgt, in dem endlich das Gesamtsubjekt gesellschaftlich sich verwirklicht. Die Kunst, die in der Konsequenz von Valérys Konzeption zu sich selbst kommt, würde Kunst selber übersteigen und sich erfüllen im richtigen Leben der Menschen.

Drucknachweise

Der Essay als Form, geschrieben 1954–58. Unveröffentlicht.

Über epische Naivetät, geschrieben 1943, aus dem Komplex der gemeinsam mit Max Horkheimer verfaßten *Dialektik der Aufklärung*. Unveröffentlicht.

Standort des Erzählers im zeitgenössischen Roman, ursprünglich ein Vortrag für RIAS Berlin, erschienen in den *Akzenten*, 1954, 5. Heft.

Rede über Lyrik und Gesellschaft, ursprünglich ein Vortrag für RIAS Berlin, mehrfach umgearbeitet, erschienen in den *Akzenten*, 1957, 1. Heft.

Zum Gedächtnis Eichendorffs, ursprünglich ein Vortrag zum hundertsten Todestag im Westdeutschen Rundfunk, November 1957, erschienen in den *Akzenten*, 1958, 1. Heft.

Die Wunde Heine, ursprünglich ein Vortrag zum hundertsten Todestag im Westdeutschen Rundfunk, Februar 1956, erschienen in *Texte und Zeichen*, 1956, 3. Heft.

Rückblickend auf den Surrealismus, erschienen in *Texte und Zeichen*, 1956, 6. Heft.

Satzzeichen, erschienen in den *Akzenten*, 1956, 6. Heft.

Der Artist als Statthalter, ursprünglich ein Vortrag für den Bayerischen Rundfunk, erschienen im *Merkur*, VII. Jahrg., 1953, 11. Heft.

Vom selben Verfasser

Kierkegaard, Konstruktion des Ästhetischen.
Tübingen 1933
Neue, um eine Beilage erweiterte Ausgabe, Frankfurt 1962

Philosophie der neuen Musik
Tübingen 1949, 2. Aufl. Frankfurt 1958

Minima Moralia. Reflexionen aus dem beschädigten Leben
Berlin und Frankfurt 1951, 3. Aufl. Frankfurt 1965

Versuch über Wagner. Berlin und Frankfurt 1952
Taschenbuchausgabe Knaur, München/Zürich 1964

Prismen. Kulturkritik und Gesellschaft. Frankfurt 1955
Taschenbuchausgabe dtv, München 1963

Dissonanzen. Musik in der verwalteten Welt
Göttingen 1956, 3., erweiterte Aufl. 1963

Zur Metakritik der Erkenntnistheorie
Studien über Husserl und die phänomenologischen
Antinomien. Stuttgart 1956

Noten zur Literatur II
Frankfurt 1958, 3. Aufl. 1965 · Bibliothek Suhrkamp Bd. 71

Noten zur Literatur III
Frankfurt 1965 · Bibliothek Suhrkamp Bd. 146

Klangfiguren. Musikalische Schriften I
Berlin und Frankfurt 1959

Mahler. Eine musikalische Physiognomik
Frankfurt 1960, 2. Aufl. 1964 · Bibliothek Suhrkamp Bd. 61

Einleitung in die Musiksoziologie.
Zwölf theoretische Vorlesungen
Frankfurt 1962

Eingriffe. Neun kritische Modelle
Frankfurt 1963, 3. Aufl. 1964 · edition suhrkamp 10

Drei Studien zu Hegel
Frankfurt 1963 · edition suhrkamp 38

Der getreue Korrepetitor.
Lehrschriften zur musikalischen Praxis
Frankfurt 1963

Quasi una fantasia. Musikalische Schriften II
Frankfurt 1963

Moments musicaux. Neu gedruckte Aufsätze 1928–1962
Frankfurt 1964 · edition suhrkamp 54

Jargon der Eigentlichkeit. Zur deutschen Ideologie
Frankfurt 1964, 2. Aufl. 1965 · edition suhrkamp 91

Von Max Horkheimer und Th. W. Adorno:

Dialektik der Aufklärung. Philosophische Fragmente
Amsterdam 1947

Sociologica II. Reden und Vorträge. Frankfurt 1962

In englischer Sprache:

The Authoritarian Personality by Th. W. Adorno, Else Frenkel-Brunswik, Daniel J. Levinson, R. Nevitt Sanford (Studies in Prejudice, edited by Max Horkheimer and Samuel H. Flowermann, Volume I), New York 1950

Bibliothek Suhrkamp